Will Davis Jr.

O Poder da Oração para o seu Casamento

Descubra como a comunhão com Deus pode abençoar sua vida conjugal

Tradução
Marcus Aurélio de Castro Braga

THOMAS NELSON
BRASIL®
Rio de Janeiro, 2015

Título original: *Pray Big for Your Marriage*

PUBLISHER	Omar de Souza
EDITORES	Aldo Menezes e Samuel Coto
COORDENAÇÃO DE PRODUÇÃO	Thalita Aragão Ramalho
PRODUÇÃO EDITORIAL	Daniel Borges do Nascimento
TRADUÇÃO	Marcus Aurélio de Castro Braga
REVISÃO DE TRADUÇÃO	Mariana Moura
REVISÃO	Leonardo Vianna
CAPA	Wesley Mendonça
DIAGRAMAÇÃO E PROJETO GRÁFICO	Julio Fado

Todas as citações bíblicas foram extraídas da *Nova Versão Internacional* (NVI), da Biblica, Inc., a menos que seja especificada outra versão da Bíblia Sagrada.

As posições doutrinárias e teológicas desta obra são de responsabilidade de seus autores e colaboradores diretos, não refletindo necessariamente a posição da Thomas Nelson Brasil, da HarperCollins Christian Publishing ou de sua equipe editorial.

CIP-BRASIL. CATALOGAÇÃO NA FONTE
SINDICATO NACIONAL DOS EDITORES DE LIVROS, RJ

D292p
Davis Jr., Will
O poder da oração para o seu casamento: Descubra como a comunhão com Deus pode abençoar sua vida conjugal / Will Davis Jr. ; tradução Marcus Aurélio de Castro Braga. - 1. ed. - Rio de Janeiro: Thomas Nelson Brasil, 2015.

Tradução de: Pray big for your marriage
ISBN 978.85.7860.758-6

1. Casamento - Aspectos religiosos - Cristianismo. 2. Vida Cristã. I. Título.

CDD: 248.4
CDU: 27-584

Este livro foi impresso em 2015, pela Edigráfica, para a Thomas Nelson Brasil. A fonte usada no miolo é Adobe Garamond Pro corpo 11. O papel do miolo é Offset 75g/m², e o da capa é cartão 250g/m².

Rua Nova Jerusalém, 345 – Bonsucesso
Rio de Janeiro – RJ – CEP 21042-235
Tel.: (21) 3882-8200 – Fax: (21) 3882-8212 / 3882-8313
www.thomasnelson.com.br

Para minha amada esposa, Susie.
Ninguém ora mais por mim.
Ninguém mais precisou.

Sumário

Agradecimentos

Susie: você é uma mulher de Deus, uma esposa maravilhosa, minha parceira no ministério, e minha amiga mais próxima. Provérbios 31:10 declara: "Uma esposa exemplar; feliz quem a encontrar!" Eu a encontrei.

Will III, Emily e Sara: cada um de vocês me surpreende e inspira. Obrigado por tornar meu trabalho como pai tão fácil. Eu não poderia estar mais orgulhoso de vocês.

Meu pai, Will D. Davis: você é o melhor exemplo de um marido dedicado que eu já vi. Obrigado por ser esse grande modelo.

Vicki Crumpton: obrigado por ter passado o bastão para mim e por me apoiar em minhas produções editoriais. Sua contribuição e seu incentivo foram inestimáveis. Obrigado pela grande orientação no capítulo sem testosterona.

Suzie Cross: você se tornou uma amiga, apesar da distância. Obrigado por seus incansáveis esforços para tornar *O poder da oração para o casamento* uma obra bem-sucedida. É uma alegria trabalhar com você, grande exemplo de uma verdadeira guerreira de oração.

Jessica Miles: obrigado por usar suas habilidades impecáveis de edição para tornar este livro mais fácil de ler. E obrigado por ser paciente comigo!

Brooke Nolen, Claudia Marsh e Deonne Beron: obrigado pelo excelente trabalho no marketing da obra.

Les Stobbe: você é um grande homem de Deus. Admiro seu coração e sua paixão pelo evangelho. Obrigado pelos conselhos, pelo encorajamento e pela amizade.

Terri Crow, você é uma revisora incrível. Obrigado por suas generosas, consistentes e alegres contribuições para este trabalho.

Wendy Browning: você é uma assistente maravilhosa e uma revisora cruel! Obrigado por ser uma colega de trabalho e amiga tão divertida.

Tonya Parrott — dra. Parrott, presumo: é uma alegria conviver com você. Admiro o que Deus está fazendo em sua vida e na de sua família. Obrigado por me apoiar e pelo excelente trabalho neste livro.

Lori Howe: você é uma verdadeira amiga. Obrigado por ler o texto e por oferecer-me um sincero aviso: "Will, você não me ensinou como orar por meu casamento!"

Gary e Jackie Sinclair: estou muito feliz por vocês se tornarem texanos! Obrigado por serem um exemplo piedoso de um casamento cristão. Gary, obrigado também por sua correção e seus comentários úteis.

Andrea Smith: Deus enviou um anjo para Will e Susie, e seu nome era Andrea... Obrigado por nos amar, acreditar em nós e nos apoiar. Você tem sido um enorme incentivo para Susie e eu.

David Washington: obrigado por ser um homem de Deus, um bom amigo e um grande exemplo de um marido dedicado.

Ryan e Courtney Nowakowski: estou muito orgulhoso de vocês dois. Obrigado por terem um casamento do Reino. Austin Christian Fellowship (ACF) é uma igreja saudável por causa de obediência de vocês.

Alan e Tina Nagel: obrigado por acreditar na ACF e por adicionar credibilidade à nossa causa. Obrigado por obedecer ao chamado de Deus e por impactar muitas vidas ao longo de décadas. Alan, obrigado por ser um grande conselheiro, amigo e mentor. Tina, obrigado por sonhar com uma igreja do Reino.

Rick e Stephanie Reynolds: eu amo os dois. Rick, obrigado por ser meu amigo e por me manter no jogo do Reino. Obrigado a ambos por lutarem pelos casamentos. Vocês são verdadeiros heróis do Reino.

John e Helen Boyd: Johnny, obrigado por bater à minha porta. Obrigado a vocês por terem um casamento que transforma vidas.

Brandon e Amber Parker: sou muito feliz por Deus tê-los trazido à minha vida. Vocês me inspiram e me fazem querer ser um cristão melhor.

Superintendentes, conselho de administração e funcionários da ACF: amo cada um de vocês. É maravilhoso estar em comunhão com vocês e servir ao nosso Rei juntos. Obrigado por me aturarem.

CAPÍTULO 1

AMADOS... OREM!

RECENTEMENTE, SUSIE E EU TIVEMOS a oportunidade de sair de nossa casa em Austin e viajar para o belo sul da Califórnia. Fomos lá gravar seis lições em DVD para um programa sobre o casamento que estávamos escrevendo para nossa igreja.

Foi uma experiência emocionante para nós dois. Susie e eu não somos especialistas em casamento. Gostaríamos de ser os primeiros a dizer-lhe que sabemos tanto sobre o que *não* fazer no casamento quanto sobre *o que* fazer. Mas, como eu sou o pastor de nossa igreja e Susie é minha esposa, em algum momento nesses papéis somos chamados a falar sobre o casamento. E, uma vez que a viagem era de graça e incluía algum tempo para nos divertir, achamos que prepararíamos o DVD de uma só tacada.

Passamos cerca de seis horas em um estúdio de Los Angeles encabeçado por dois dos mais talentosos produtores de mídia e programas cristãos do país. As sessões transcorreram bem, e os produtores pareciam satisfeitos com o produto final. Depois, nós fomos até o Ritz Carlton em Dana Point para um jantar romântico, a luz de velas e com uma vista de 180 graus do Pacífico. Durante o jantar, falamos sobre o quanto éramos abençoados, até por estarmos na posição de discutir sobre casamento com os outros. Refletimos sobre o dia e o quanto nos divertimos. No caminho de volta ao hotel, que durou meia hora, ficamos de mãos dadas e continuamos a listar as grandes bênçãos de Deus em nossas vidas. Foi uma noite perfeita.

Até que eu me perdi.

Na verdade, Susie pensou que eu estava perdido. Eu percebi apenas que estava um pouco "fora do trajeto". Mas, se você é mulher, seu marido está dirigindo por um local desconhecido a quase 2 mil quilômetros de casa, e está um breu completo lá fora, então a diferença entre "perdido" e "fora do trajeto" é um ponto discutível.

Para começar, Susie ficou desconfiada quando o cenário começou a mudar. O hotel encontrava-se em uma área urbana — iluminada, com cruzamentos, grandes lojas e lanchonetes. Você entende, esses são locais amigáveis, reconfortantes e familiares que são sinal de civilização. Mas o cenário na viagem de volta era... bem, era um cenário com árvores, campos abertos, gado, animais selvagens e estreitas estradas sem pavimentação adequada e com um poste de luz a cada 40 quilômetros. Era bastante óbvio para Susie que, embora estivéssemos em algum lugar, não estávamos perto de onde deveríamos estar. E também era óbvio que eu não tinha ideia de onde estávamos.

A boa notícia sobre estar perdido neste país é que, se você procura uma cidade, tudo o que tem a fazer é dirigir na direção das luzes. E assim fizemos. E, depois de passar pelo pedágio sem pagar — o que fez soar o alarme (eu não fiz nada de errado, nem mesmo reduzi a velocidade) —, encontramos o caminho de volta à civilização. Mas, então, Susie não era mais uma viajante feliz. Não havia mais mãos dadas nem recitações de bênçãos de Deus. Graças a uma curva errada (está certo, talvez mais do que isso), para Susie, eu tinha deixado de ser o Capitão América e passei a ser o Capitão Canguru. Nossa noite estava indo depressa ladeira abaixo.

Qualquer esperança de salvar a noite foi frustrada quando parei num posto de combustível, sob o pretexto de abastecer. Na verdade, eu queria dar uma olhada em algum mapa, mas não estava disposto a contar isso para Susie. Quando saí para colocar a gasolina, Susie ficou plantada na loja de conveniência. Achei que ela precisasse refrescar-se um pouco depois da emocionante viagem pelo interior da Califórnia. Mas quando entrei na loja, Susie estava envolvida em uma animada conversa com um rapaz tatuado atrás do balcão. Ele sorria e ria, ela sorria e ria, e ele estava dando a ela... orientações!

Existe um golpe maior para o ego de um homem? Existe um lugar mais baixo na cadeia alimentar do sexo masculino do que o reservado para o perdedor cuja mulher tem de perguntar a algum cara da Califórnia, com músculos para todos os lados, pois o marido não pode dirigir, segurar a mão da esposa e seguir um mapa ao mesmo tempo? Com a autoestima suficientemente ferida, esgueirei-me de volta para o carro e fiquei de mau humor por todo o caminho até o hotel — enquanto seguia as instruções do gostosão. Fiz uma oração muito desanimada com Susie antes de dormir e fiz beicinho ao dirigir-me para uma noite de sono terrível e apática. Um grande dia havia terminado em uma péssima noite.

E pensar que nós estávamos lá para gravar um DVD sobre casamento.

Apertem os cintos

Bem-vindo ao maravilhoso mundo do casamento. Você pode imaginar outro relacionamento que tenha o potencial de levá-lo a extremos relacionais, tais como prazer e dor, alegria e tristeza, intimidade e isolamento? O casamento pode ser emocionante, divertido, bem-humorado, estimulante, inspirador, gratificante, enfim, uma aventura. Mas também pode ser muito, muito difícil. Para mim, o casamento é o ápice de meu mundo relacional. É, sem dúvida, a relação que requer o máximo de mim e oferece o maior potencial de intimidade e alegria.

Culturalmente, a instituição do casamento parece ter um perene olho negro. Talvez seja porque o casamento seja tão desafiador ou porque muitas forças parecem competir contra ele. Mas, sejam quais forem as razões, o casamento, pelo menos na cultura ocidental, está passando por problemas sérios.

Você já deve ter ouvido as tristes estatísticas — hoje, nos Estados Unidos, existem mais casais vivendo juntos fora do casamento do que oficialmente casados,[1] e metade dos casamentos termina em divórcio. Preparatórios pré-nupciais e pós-nupciais pontilham a paisagem matrimonial, como se todos os casamentos pudessem vir a falhar. Ações de divórcio perduram por meses, e a infidelidade, as pressões financeiras e as diferenças irreconciliáveis fazem novas vítimas no casamento todos os dias.

Além disso, muitos casais sentem-se presos à rotina do casamento. Enquanto eles não são capazes de se divorciar, vivem vidas com relacionamentos separados. Compartilham contas, camas e banheiros, não mais que isso. Criam filhos juntos, mas frequentemente não conseguem ser um modelo inspirador de casamento que os filhos possam desejar. Em suma, não são um casal de fato, para desfrutar da intimidade, da segurança e do amor que Deus projetou para o casamento.

Mas o casamento não tem de ser uma história derrotista e sombria que a cultura está tentando mostrar. Muitos casais hoje, embora raramente sejam manchete, desfrutam de relações profundas e significativas. Seus casamentos sobrevivem a abortos, falências, desemprego e até mesmo doenças de longo prazo. Esses casamentos produzem filhos saudáveis e felizes, perduram por várias décadas, só terminam com a morte e inspiram outros a imitá-los. Tais casamentos não são inatingíveis, nem são contos de fadas; são o que Deus quer para cada um de nós que somos casados, e é exatamente por isso que precisamos orar todos os dias por nossos casamentos.

Comece a orar por seu casamento

Peça a Deus para dar-lhe uma visão para seu casamento. Ore para que você e seu cônjuge não se contentem com a mediocridade.

Orar faz as coisas acontecerem

Há um padrão bíblico claro no que se refere à oração que o impede de se perguntar se está orando corretamente e o ajuda a orar com um foco claro na vontade de Deus. É o que eu chamo de oração detalhada. Através dela, você pode se aproximar de Deus com confiança e sentir-se à vontade para fazer grandes pedidos a ele. Orações precisas falam direto ao coração de Deus por causa de suas duas principais características: elas são bíblicas e específicas.

Fazer orações bíblicas significa que você usa as Escrituras como guia primordial para orientar e formular suas orações. Descobri anos atrás que minhas palavras não podiam — e não precisam — competir com a linguagem, com o sentimento e com a atitude expressa nas palavras inspiradas das Escrituras. Em vez de tatear a oração, tentando descobrir o que pedir a Deus e como, comecei deixando a Bíblia falar por mim.

Veja como funciona: eu leio a Bíblia quase todos os dias. E estou sempre descobrindo versículos que dizem exatamente o que eu quero que Deus faça em mim, em meu casamento, em minha família, em meu ministério, em minha cidade, em meu país, e assim por diante. Quando leio um versículo que expressa claramente meus sentimentos em relação a algo, eu escrevo na minha Bíblia um conjunto de siglas que representam a pessoa ou coisa próxima a esse versículo. Por exemplo, se o versículo fala o que eu quero que Deus faça em mim, escrevo minhas iniciais na margem. Se ele fala à minha esposa ou aos meus filhos, eu escrevo as deles.

Orar as Escrituras me ajuda a concentrar meu coração naquilo que Deus quer e menos naquilo que eu quero. Os ensinamentos inspirados e abalizados da Palavra de Deus me capacitam a pensar e orar dentro de um contexto bíblico. Eu sei que minhas orações alcançam um impacto poderoso diante do trono de Deus, porque estou orando na mesma linguagem que Deus já usou para expressar o que deseja fazer. Orações bíblicas são muito mais eficazes do que as demais orações que todos nós somos tentados a orar, tais como: "Senhor, ajude meu marido a levantar o traseiro do sofá", ou "Senhor, por favor, faça minha esposa não falar mais de 10 mil palavras por dia".

As orações detalhadas também são específicas. Há alguns anos, Deus me convenceu sobre a natureza genérica e sem rumo de minhas orações. Comecei a ouvir o que eu e outros ao meu redor estávamos pedindo a Deus. Eu, talvez como você, costumava fazer orações que nunca pediam nada específico a Deus. Pedia a Deus que estivesse com alguém ou abençoasse essa pessoa, mas a Bíblia ensina que Deus já estava fazendo ambas as coisas. Minhas orações, incluindo as por meu casamento, não possuíam nenhuma força em si mesmas. Simplesmente não havia muita substância. O Espírito Santo, basicamente, me cutucou e disse: "Por que você está me pedindo para fazer o que eu já estou fazendo? Ore por algo dramático, algo que requeira fé. Ore por algo grande!"

Então comecei a orar de forma mais específica. Além de usar a Bíblia como guia de oração, passei a pedir coisas bem específicas e focadas em Deus. Em vez de pedir a Deus para estar com minha esposa, pedi a ele para fazê-la santa, para protegê-la da atração do materialismo, para curá-la de feridas específicas, para expandir o impacto de seu ministério, para colocar a verdade em seu coração e sabedoria em sua língua. Em vez de pedir a Deus que abençoasse meu casamento, eu orei para que ele ajudasse a mim e a Susie a nos amarmos incondicionalmente, para que modelasse em nós seu amor pelo mundo, para que servíssemos um ao outro de boa vontade e para que conhecêssemos a verdadeira intimidade.

Você vê a diferença? Tenho certeza que sim. Como minhas orações tornaram-se mais específicas e voltadas para Deus, passei a obter mais respostas dele. As orações bastante específicas que fazia transformaram-se em respostas específicas para meu casamento.

Como você ora por seu casamento? Você joga ao Senhor orações do tipo "Senhor, por favor, fica conosco", ou define pedidos mais específicos e bíblicos diante de Deus? Posso dizer por experiência, quanto mais você se concentrar e especificar os pedidos por seu casamento, mais respostas diretas você vai obter.

Casamentos melhores começam aqui

Nas páginas a seguir, eu vou ajudá-lo a unificar os ensinamentos de Deus sobre o casamento com suas promessas sobre a oração. Quero elevar suas esperanças e seus sonhos para seu casamento a um nível bíblico. Vou ajudá-lo a obter uma visão bíblica para o que Deus deseja para seu casamento. Então, vou lhe mostrar como fundamentar suas orações pelo casamento naquilo que Deus disse que está pronto e disposto a fazer. Você não perderá tempo perguntando se está pedindo algo que Deus não queira. Antes de terminar este livro, você vai saber o que significa o poder da oração para o casamento. Você estará preparado para fazer pedidos mais significativos e importantes para Deus e estará capacitado a orar poderosa e especificamente pelo casamento. Você saberá orar com confiança e ousadia para si e para seu cônjuge. Deus está pronto para fazer coisas dignas do Reino em sua casa. Você está pronto para pedi-las?

Nos próximos capítulos, você aprenderá a utilizar a Bíblia como guia para orar pelo seu casamento. Você saberá por que isso é fundamental para amar a Deus mais do que você ama seu cônjuge e como orar por isso. Você descobrirá como orar por um casamento mais autêntico, como orar por maturidade espiritual entre o casal e como orar sobre seu papel atribuído por Deus no matrimônio. Os homens aprenderão a orar promessas bíblicas muito específicas para suas esposas, e as mulheres aprenderão a orar com idêntico enfoque bíblico por seus maridos. Nos capítulos finais do livro, você aprenderá a orar por proteção contra as tentações e distrações do casamento, e como orar pela visão e missão que Deus tem para o casamento.

Gênesis 25:21 nos diz: "Isaque orou ao Senhor em favor de sua mulher." Essa não é uma bela imagem de um cônjuge que ora? Como é que nossos casamentos seriam se passássemos menos tempo nos queixando e nos lamentando e mais tempo orando profusamente por nossos cônjuges? O casamento não tem de ser ruim ou chato; pode ser sua maior bênção. A diferença é a oração.

Comece a orar por seu casamento

Ore 2Crônicas 7:16 por seu casamento e sua casa:

Santo Deus, que nos escolheste e ungiste como teu povo, permite que o teu nome sempre habite conosco. Que teus olhos e teu coração estejam sempre voltados para nós.

Ore com vontade

Você está pronto para apimentar as coisas no casamento? Está pronto para jogar um pouco de combustível no fogo do casamento? Está cansado de seu casamento ser o saco de pancadas de Satanás? Está ávido para descobrir a missão de Deus para o casamento? Então continue lendo. Juntos vamos aprender o poder da oração para o casamento.

Versículos para orar por seu casamento

- Mateus 21:22: *Pai, porque eu creio, ousadamente peço que respondas minha oração e faças coisas grandes e maravilhosas no meu casamento.*
- João 14:13-14: *Santo Deus, eu peço, em nome de Jesus, que me ouças e concedas os meus pedidos específicos para o meu casamento.*

Uma oração pelo casamento

Precioso Deus, eu oro por meu casamento. Por favor, constrói teu Reino em nossas vidas. Eu oro para que me proporciones esperança e fé para saber que tu farás coisas incríveis e até mesmo milagrosas em meu casamento. Ensina-me a fazer orações específicas poderosas para mim e meu cônjuge. Por favor, transforma, purifica, protege e fortalece meu casamento através de minhas orações. Em nome de Jesus. Amém.

CAPÍTULO 2

Orações poderosas, audaciosas e difíceis por seu casamento

"Esse cara realmente deve ter feito algo de muito errado." Foi o que eu fiquei pensando quando olhei para o homem sentado ao lado da esposa, evidentemente zangada, na aula dos membros de nossa igreja. Eu tive certeza de que as coisas não estavam um mar de rosas quando ela perguntou: "Como você perdoa alguém que traiu você?" Ela compartilhou abertamente sua dor, seus medos e sua incapacidade e falta de vontade de voltar a confiar em quem a ofendera. Eu fiquei um pouco chocado com a honestidade dela ao se abrir em uma sala cheia de estranhos, e com a raiva com que ela desabafava a respeito de quem a tinha ferido tão gravemente. Mais uma vez eu olhei para o marido. Ele não demonstrava estar chateado com os comentários. Parecia quase imune a eles. Aquele homem não entendeu o recado, pensei. Quando saiu para o almoço, ele estava tão calmo e simpático para com ela, que era quase como se ela não tivesse falado sobre ele. E então percebi que ela não tinha falado sobre ele. E sim sobre Deus.

Aquela mulher havia passado por anos muito difíceis. Golpes dolorosos e pessoais, um após o outro, deixaram sua alma cansada e sua fé em Deus abalada. Ela estava machucada, cansada, decepcionada, e eu não estava certo nem mesmo de que ela ainda estava disposta a acreditar nele.

O que faz um marido ou uma esposa cristã quando o cônjuge está em queda livre espiritual? Como é que um cristão navega os ásperos mares conjugais durante uma crise de fé do cônjuge? O que você faria se amanhã seu marido ou sua esposa entrasse em falência espiritual?

No caso desse casal de nossa igreja, o marido fez tudo o que podia — orou. Ele, de forma fiel e consistente, foi a Deus em nome da esposa ferida. Pediu pela cura e restauração da fé dela. Ele não pregou; não se queixou; não condenou. Mas esperou e orou. E, aos poucos, o brilho nos olhos dela começou a retornar. Isso não aconteceu do dia para a noite, e certamente não foi fácil, mas sua esposa enfim encontrou a paz com Deus. Sua confiança nele foi restaurada e seu amor por ele se aprofundou. Hoje, esse marido e sua esposa estão criando filhos consagrados, experimentando um casamento forte e são líderes em nossa igreja.

Por que orar?

Sem exceção, o recurso mais eficaz para qualquer casamento é a oração. Embora existam muitas ferramentas e ajudas disponíveis para casamentos nos dias de hoje, a oração é, de longe, a mais poderosa. Ela tem a capacidade de trabalhar no âmago dos dois elementos mais importantes do casamento — o marido e a mulher — mais rápido e de forma mais estratégica do que qualquer ferramenta de que você possa lançar mão ou qualquer terapeuta que você possa contratar.

A seguir estão apenas alguns dos benefícios da oração pelo casamento.

A oração traz humildade. Se você costuma ter uma atitude ruim em relação ao casamento, a oração vai ajudá-lo a mudar isso. Momentos santos passados diante de Deus em oração ajudam a colocar você e os desejos de seu casamento na perspectiva correta. A oração tem uma grande capacidade de baixar o ego e ajustar sua atitude.

A oração orienta você. Deus fala através da oração. Ele ensina e transmite sabedoria através da oração. A oração ilumina a Palavra de Deus para você e o orienta a como aplicá-la às suas questões e decisões conjugais. Você quer orientação para lidar com o seu casamento? Ore.

A oração transforma você. Qualquer tempo que passar a sós com Deus terá um efeito imediato sobre você. A oração é uma das ferramentas primárias de santificação de Deus. (Santificação é o processo através do qual Deus nos torna santos.) Quando ora por seu casamento, você torna-se mais propenso a ter um espírito dócil e estar aberto para aquilo que Deus quer fazer em você, em vez de manter-se preso naquilo que você deseja que ele faça em seu cônjuge.

A oração faz você olhar seu cônjuge de forma diferente. Na Segunda Carta aos Coríntios (5:16-17), o apóstolo Paulo compartilhou como Cristo havia mudado sua perspectiva sobre as pessoas:

> De agora em diante, a ninguém mais consideramos do ponto de vista humano. Ainda que antes tenhamos considerado Cristo dessa forma, agora já não o consideramos assim. Portanto, se

> alguém está em Cristo, é nova criação. As coisas antigas já passaram; eis que surgiram coisas novas!

Paulo confessou que, embora tenha julgado os outros com base em padrões humanos, ele deixou de fazê-lo, porque seu amor por Jesus lhe tinha dado uma visão completamente diferente sobre as pessoas.

Conforme você ora por seu cônjuge, seu ponto de vista a respeito dele irá mudar. Você vai aprender a enxergá-lo através dos olhos de Jesus, e não apenas com seus próprios olhos. Deus lhe dará a capacidade de amar seu cônjuge como ele o faz.

A oração capacita você. As atribuições dadas aos maridos e esposas pelas Escrituras cristãs não são fáceis. Maridos são chamados a amar suas esposas assim como Jesus as ama. Esposas são chamadas a viver para seus maridos assim como eles devem viver para Cristo (ver Efésios 5:22-33). Nenhum papel vem naturalmente, até mesmo nas casas mais cheias do Espírito. É por isso que a oração é tão importante no casamento. Seu tempo diante de Deus em oração não só lhe proporcionará uma visão de como você deve agir no casamento, mas também irá capacitá-lo com a graça para, de fato, fazê-lo.

Comece a orar por seu casamento

Ore 1Samuel 12:23 por seu casamento:

Senhor, ajuda-me a não pecar contra ti deixando de orar por meu casamento.

Senhor, é errado eu orar para a terra se abrir e engolir meu marido?

Como é que devemos orar por nosso casamento? Que tipo de coisa devemos pedir a Deus? Como conhecemos qual é sua vontade? Como sabemos que não estamos apenas transformando nossos desejos egoístas em orações? A oração pelo casamento é importante demais para que adivinhemos. O que deveríamos pedir que Deus faça em nosso casamento?

Para começarmos a responder a essas perguntas, vamos dar uma olhada em algumas das orações pelo casamento mais comuns que poderíamos ser tentados a fazer, mas não deveríamos.

Senhor, por favor, transforma-o(a). Essa pode ser a oração pelo casamento mais comum e, devo acrescentar, a mais ineficaz de todas. É muito fácil ver seu cônjuge como o problema. Se ele ou ela apenas se tornasse mais maduro(a), perdesse peso, não gastasse tanto, se levantasse mais do sofá, fizesse algo de útil, parasse de reclamar, parasse de se preocupar, parasse de chatear, pensasse mais em sexo, permanecesse no emprego, se mexesse, dedicasse mais atenção a mim, limpasse o quintal, limpasse o sótão, não viajasse tanto, parasse de falar muito, me ajudasse com as crianças, fosse mais parecido(a) com ______________ (preencha com um nome), então as coisas seriam muito boas! Certo?

A forma menos eficaz de orar pelo casamento se expressa na atitude de que tudo de errado com o casamento pode ser resumido em duas palavras: meu cônjuge. Orações que repetidamente expressam: "Deus, por que você fez isso comigo?", nunca conseguem coisa alguma. Essa oração é egocêntrica e egoísta. Não me interpretem mal — Deus está interessado em transformar seu cônjuge, mas ele está igualmente interessado em transformar você. Não é errado você orar para que Deus faça coisas poderosas na vida de seu cônjuge, mas, como veremos nos próximos capítulos, suas orações precisam buscar os planos e desejos de Deus, e não os seus.

Senhor, tira-me daqui. Esta oração representa os corações daqueles que receberam o suficiente. Eles estão doentes e cansados do rumo que seu casamento está tomando e querem abandonar os votos matrimoniais. Querem uma mudança; querem que Deus permita-lhes sair de seus votos do casamento.

Considerando o fato de que, nos Estados Unidos, pelo menos 50% de todos os casamentos terminam em divórcio, eu imagino que essa seja uma das orações mais frequentes apresentadas a Deus. Se o casamento está no nível de um divórcio biblicamente justificável não é o ponto. A questão é que muitos cristãos, todos os dias, sentem o desejo de desistir do casamento. Eles podem ou não estar seriamente procurando uma saída, mas é certo que anseiam por isso.

A Bíblia oferece muita esperança para aqueles que estão em circunstâncias difíceis no casamento. O pedido "Senhor, tira-me daqui" não é tipicamente um daqueles pedidos que Deus irá conceder, exceto em casos extremos. Deus ainda leva nossos votos matrimoniais muito a sério, mesmo se não o tivermos feito. Sua esperança para seu casamento é maior e melhor do que terminá-lo em fracasso. Se sua oração pelo casamento for "Senhor, tira-me daqui", o que se segue neste livro não apenas lhe dará esperança, mas também vai lhe proporcionar uma estratégia para como orar de forma diferente.

Senhor, se não vais me resgatar, então dá-me forças para suportar. Essa é a oração daqueles que se resignaram a viver um casamento ruim pelo resto da vida. Eles não veem uma saída e, certamente, não veem mudanças. Eles não apenas já desistiram do casamento, mas já desistiram de Deus.

Não. Não desista do casamento e não desista de Deus. Fazê-lo indica que ele se preocupa com outros casamentos, mas não com o seu. Implica que ele não tem o poder de mudar você e/ou seu cônjuge e de dar-lhe o tipo de casamento que ele pretendia desde o início. Se você for um discípulo de Cristo, tem inúmeras razões bíblicas para acreditar que Deus pode e ainda vai trabalhar em seu casamento. Fazer uma oração desanimada afirmando que você irá aguentar o que ele lhe atribuiu é desejar pouco, é orar muito pequeno. Jesus não morreu na cruz para você manter-se condenado a uma rotina de oração do tipo *Senhor, ajuda-me nisso até eu chegar ao céu.* Tal oração não apenas é um desperdício de tempo, mas também insulta a Deus.

É hora de você começar a orar com a intensidade e o entusiasmo divinos para os quais Jesus morreu para lhe oferecer. É o momento de você aprender a fazer grandes questionamentos a Deus sobre seu casamento.

Orações poderosas, audaciosas e difíceis

Na juventude, eu tive um mentor que costumava sempre dizer, às jovens cristãs que estavam à procura de um marido, que não se contentassem com um cachorro-quente quando Deus prometeu-lhes um suculento bife. Tradução: não se case com um fracasso espiritual quando Deus quer que você tenha um homem forte.

Acredito que muitos de nós se contentam com a mediocridade quando se trata do nível de intimidade e alegria que sentimos no casamento, e é em parte devido ao fato de que não pedimos grandes coisas a Deus.

Em meu livro *Pray Big*,[1] introduzi o conceito de BHAPs: Big, Hairy, Audacious Prayers [orações poderosas, audaciosas e assustadoramente difíceis]. (Eu dou crédito à discussão de Jim Collins sobre essas orações, em seu livro *Built to Last* [Feitas para durar] como fonte inicial para este conceito.) Uma oração grande, audaciosa e assustadoramente difícil é um pedido que requer uma resposta milagrosa de Deus. Tal oração não é nem presunçosa, nem egoísta, e, como uma oração específica, é tanto bíblica quanto precisa. É o tipo de oração que faz muitos levarem a sério os versículos a seguir:

- Mateus 21:22: "E tudo o que pedirem em oração, se crerem, vocês receberão."
- João 14:13-14: "E eu farei o que vocês pedirem em meu nome, para que o Pai seja glorificado no Filho. O que vocês pedirem em meu nome, eu farei."
- Mateus 7:7-8: "Peçam, e será dado; busquem, e encontrarão; batam, e a porta será aberta. Pois todo o que pede recebe; o que busca encontra; e àquele que bate, a porta será aberta."

Eu poderia listar vários outros. Esses ensinamentos de Jesus não estão na Bíblia para preencher as páginas. Ele os deixou para nós porque quer e espera que oremos com o tipo de esperança e fé que esses versículos descrevem.

Quando você estiver orando pelo casamento, não seja tímido sobre aquilo que você pedir a Deus. Jesus nos mandou pedir e buscar através da oração. Se não precisarmos do poder miraculoso de Deus para todos os aspectos da nossa vida cristã, incluindo o casamento, ele não teria repetidamente nos exortado a pedi-lo em oração. Então ore com vontade! Leia as Escrituras, descubra as promessas de Deus e comece a fazer orações grandes, audaciosas e assustadoramente difíceis para seu casamento hoje.

Você está casado com um incrédulo? Ore para que ele ou ela venha a aceitar Cristo e tornar-se um discípulo obediente. O casamento vive momentos de tensão por conta de estresse financeiro? Peça a Deus para fazer de vocês bons administradores, que forneça o necessário para que quitem as dívidas, e que os ajudem a tornarem-se um casal generoso. Você sente falta de intimidade emocional? Ore a Deus para afastar os obstáculos e conceder-lhe unidade de coração. Você está em conflito com um ex-cônjuge ou vivendo momentos difíceis com os sogros? Ore pela cura e maturidade nesses relacionamentos. Em outras palavras, não ore apenas para sobreviver; ora para prevalecer. Ore com vontade!

O que deseja que Deus faça em seu casamento? Quando você lê a Bíblia, que histórias ou versículos descrevem seus anseios e os de seu cônjuge? Comece orando por isso. Peça a outros para orar com você. Sempre que possível e apropriado, ore com seu cônjuge. Peça a Deus alguns sonhos e promessas grandes, audaciosos e difíceis para o matrimônio, e, em seguida, comece orando por eles. Talvez demorem dez dias ou dez anos, mas você verá que Deus trabalha de maneira muito mais ampla do que você jamais poderia pedir ou pensar (ver Efésios 3:20).

Comece a orar por seu casamento

Ore Filipenses 4:19 por seu casamento:

Senhor Deus, por favor, atende a todas as necessidades do nosso casamento, de acordo com as riquezas de tua glória, que está em Jesus Cristo.

O extermínio final do divórcio

Você sabia que os casamentos de cristãos são tão propensos a terminar em divórcio como os de não cristãos? Isso mesmo. A trágica verdade é que a taxa de divórcio é a mesma se o casal afirma ter a fé cristã ou não. No entanto, entre alguns casais cristãos as taxas de divórcio são dramaticamente menores. Esse grupo é composto por casais que oram juntos regularmente.

Você pode imaginar qual é a taxa de divórcio entre casais que oram juntos? Metade da média? Um terço da média? Esses certamente seriam números melhores. Mas ainda são muito altos. De fato casais que oram juntos têm muito mais chance de ter um casamento que perdure.

Você já está convencido? Está pronto para começar a interceder por e com seu cônjuge? Está pronto para começar a pedir a Deus que faça coisas milagrosas em sua casa? Jesus morreu para dar-lhe o direito e a autoridade para pedir melhorias dignas do Reino para seu casamento. Não desperdice o poder dele. Comece a orar hoje!

Ore poderosamente hoje

Se você é novo na aventura de oração, aqui estão algumas sugestões para ajudá-lo a estabelecer bons hábitos de oração:

- Ore todos os dias. A oração não precisa ser longa ou necessariamente intensa, mas tente dedicar um tempo de oração todos os dias. A oração é o equivalente espiritual de carregar a bateria de sua alma. Você precisa fazê-lo com regularidade. Então, faça da oração uma de suas disciplinas diárias regulares, mesmo que seja apenas por alguns minutos.

- Tenha um horário regular. Esforce-se para separar o mesmo horário do dia para orar. Aqueles que possuem horários incertos ou circunstâncias imprevisíveis podem achar isso difícil, mas dê o melhor de si. Manter um horário regular para a oração aumenta as chances de que você realmente pare para encontrar-se com Deus.
- Tenha um ambiente regular. Quando se trata de orar, a familiaridade gera consistência. Ambientes novos ou em constante mudança podem ser uma distração para a oração. Encontre um lugar em que nada desvie sua atenção, onde você possa encontrar-se com Deus sem distrações. Afaste-se da TV, do telefone, do computador, da geladeira, de sua lista de afazeres ou de qualquer outra coisa que possa competir por sua atenção.
- Tenha uma metodologia regular. Comentei que uso a Bíblia para orar. Eu tenho um plano sistemático para ler a Palavra e deixo minhas leituras diárias me conduzirem ao que devo orar. Também tenho listas de nomes em minha Bíblia que eu apresento diante de Deus todos os dias. Lançar mão de um método reduz o tempo que você gasta se aquecendo para a oração. Ajuda você a ir direto à oração, e não perder tempo perguntando sobre o que deve orar.

Orações poderosas, audaciosas e difíceis por seu casamento

O restante deste livro é dedicado a ajudá-lo a identificar pedidos bíblicos e específicos que você pode entregar a Deus diariamente por seu casamento. Quando você terminar, terá uma lista completa de orações poderosas, audaciosas e assustadoramente difíceis para pedir a Deus. Mas, antes de seguir em frente, eu gostaria de sugerir uma oração específica muito poderosa que você pode começar a fazer hoje por seu casamento: "Senhor, por favor, dá-nos o tipo de casamento que Jesus disponibilizou para nós por meio de seu sacrifício na cruz."

Em João 10:10, Jesus estabelece um patamar elevado para o tipo de vida que deseja para seus discípulos: "Eu vim para que tenham vida e a tenham plenamente." A vida plena que Jesus falou está intrinsecamente ligada à sua vinda à terra e à sua morte. Ele não estava falando apenas da vida no céu; significa que devemos desfrutar de uma vida plena e rica em bênçãos agora, hoje.

Vida plena não significa que você esteja livre de dor ou que de repente se torne financeiramente próspero. Significa que você conhece e desfruta da presença de Cristo, de seu poder e paz em sua vida, independentemente das circunstâncias.

Comece a orar por seu casamento. Ore para que Deus lhe dê uma relação matrimonial plena e abundante. Peça a Deus para conceder-lhe toda graça, unção e provisão que Jesus disponibilizou para você através de sua morte. Ore para que seu casamento experimente a presença, poder e paz de Jesus. Essa é uma oração bíblica e específica que Deus responderá.

Versículos para orar por seu casamento

- 2Coríntios 5:16: *Senhor, por favor, ajuda-me a ver meu cônjuge através de teus olhos. Ajuda-me a amar e ter compaixão por meu cônjuge como tu tens.*

- João 10:10: *Pai, protege-nos do ladrão que vem para matar, roubar e destruir nosso casamento. Dá-nos a vida plena que Jesus prometeu.*
- Jeremias 31:3: *Senhor, ajuda o nosso casamento a refletir o teu amor eterno e a tua bondade.*

Uma oração pelo casamento

Pai santo, eu te amo e glorifico teu santo nome. Tu és meu Deus forte. Eu oro para que construas teu Reino em meu casamento. Por favor, concede ao meu cônjuge e a mim a vida abundante que Jesus nos proporcionou através de sua morte. Por favor, revela e elimina todos os entraves ou relacionamentos em nossas vidas que nos impedem de conhecer toda a alegria que tu planejas para nosso casamento. Dá-nos a graça, a paz, a bênção, a proteção, o poder e a presença de Jesus em nosso casamento. Amém.

CAPÍTULO 3

ORANDO PARA ESTAR EM SEGUNDO LUGAR

SUSIE E EU FICAMOS NOIVOS EM um restaurante romântico na pequena aldeia de Glen Haven, Colorado. Era o verão de 1984. Eu tinha 22 anos; ela, vinte.

Eu tinha escolhido o local de meu "grande pedido" com muito cuidado. O Glen Haven Inn é cercado por um caudaloso rio, pinheiros lindos e pelas imponentes Montanhas Rochosas. A imagem que escolhi foi estrategicamente colocada sob um belo vitral, que retratava um belo e jovem cavaleiro com uma espada em riste, resgatando uma linda donzela de um dragão cruel — uma imagem que parecia apropriada para Susie e eu.

Susie e eu estávamos pensando em nos casar já havia alguns anos. Eu já tinha conversado com o pai dela e obtido sua permissão para nos casarmos. Ela sabia que o "grande pedido" estava se aproximando; só não sabia quando.

Se você está se perguntando por que eu continuo me referindo ao acontecimento como o "grande pedido", é porque era exatamente como eu o encarava. Propor isso à mulher dos meus sonhos era um acontecimento importante para mim. Eu já tinha assistido a episódios suficientes do *The Game Newlywed* [Jogo dos recém-casados] para saber que as noivas guardam por muito tempo na memória propostas ruins de casamento, pouco românticas ou mal pensadas. Eu não tinha intenção de cometer tal erro. Acrescente a isso o fato de que Susie e eu tínhamos namorado e terminado e depois voltado por quase seis anos, que a última vez que terminamos fora três meses antes de ficarmos noivos, e que Susie tinha convidado meu melhor amigo para seu baile de formatura no Ensino Médio, e você tem a sensação de que nosso envolvimento era nada menos do que um ato de Deus. Sim, aquela seria uma grande noite para nós dois. Eu precisaria fazer isso do jeito certo.

Mas, quando eu quase cortei fora meu pomo de Adão ao me barbear apenas uma hora antes do grande momento, descobri que as coisas podem não sair como planejado. Eu me cortei tão feio que poderia muito bem ter feito logo uma traqueostomia. Cumprimentei Susie naquela noite com um gigante e escancarado buraco no pescoço. Eu parecia um Ciclope, mas com um terceiro olho aumentando cada vez mais, no lugar em que meu pomo de Adão costumava estar. Não era uma visão bonita. Eu ainda não era um candidato para o prêmio "Noivo Sem Valor", no *The Game Newlywed*, mas chegava perto. Bem, eu ainda tinha esperanças para nosso jantar romântico. Talvez o ambiente à luz de velas do restaurante, juntamente com minha humilde proposta e o anel de noivado, poderia salvar a noite.

O jantar transcorreu bem, até o momento em que eu queria pedir Susie em casamento. Quando ela foi ao banheiro, depois do jantar, eu coloquei o anel no beiral abaixo do vitral.

Quando ela voltou, eu pretendia pegar o anel no beiral da janela, cair de joelhos e pedir sua linda mão em casamento. No entusiasmo, no entanto, acabei por esbarrar no anel, jogando-o para longe do parapeito, o que o fez cair sobre o piso de madeira.

É incrível como uma mulher pode instintivamente reconhecer o som de um anel de diamante caindo sobre um piso de madeira. Susie logo se animou e perguntou alegremente: "O que foi isso?", enquanto eu apalpava o piso debaixo da mesa, tentando encontrar o anel. Quando por fim me levantei e o entreguei a ela, meu rosto estava vermelho, meus vasos sanguíneos do pescoço latejavam devido aos efeitos gravitacionais por ter ficado com a cabeça virada para baixo sob a mesa. Tudo o que eu consegui dizer foi um fraco "Você quer se casar comigo?", e Susie bondosamente concordou.

Um pedido de casamento para todos os tempos

Em comparação à minha tentativa bastante desastrosa de fazer um "grande pedido", eu gostaria de falar-lhes sobre a maior proposta de casamento de todos os tempos. Mas não é o que você pensa. Essa proposta não foi de um futuro noivo para sua noiva — pelo menos não no sentido tradicional — e não nasceu nos romances ou emoções humanas. A maior proposta de casamento veio do Senhor Jesus para cada um de nós. Jesus convidou toda alma vivente para um relacionamento com ele que é mais significativo e belo do que qualquer casamento terreno. Ouça seu convite:

> "Venham a mim, todos os que estão cansados
> e sobrecarregados, e eu darei descanso a vocês.

> Tomem sobre vocês o meu jugo e aprendam de mim, pois sou manso e humilde de coração, e vocês encontrarão descanso para as suas almas. Pois o meu jugo é suave e o meu fardo é leve."
>
> Mateus 11:28-30

Essas não são algumas das palavras mais incríveis que Jesus já disse? Você ouviu o que ele ofereceu? Relacionamento: "Venham a mim." Provisão espiritual: "Eu darei descanso a vocês." Parceria: "Tomem sobre vocês o meu jugo." Discernimento: "Aprendam de mim." Consolo: "Sou manso e humilde de coração." Alívio: "O meu jugo é suave e o meu fardo é leve." Você já ouviu uma proposta mais profunda ou atraente? Isto é o que ela é: uma proposta de casamento. Jesus convida cada um de nós — homens e mulheres — para nos "casarmos" com ele. Convida-nos para uma união espiritual com ele, que exige nosso mais puro amor e imediatamente se transforma em nosso mais importante relacionamento. Jesus ensinou que todos os outros relacionamentos, incluindo o casamento, devem vir depois de nossa relação com ele. Se mantivermos essas prioridades fora de ordem, então todos os relacionamentos que tivermos sofrerão.

Você pode estar pensando: "Espere um minuto. Como eu posso amar outra pessoa, até mesmo Jesus, mais do que meu cônjuge? Meu casamento não deve ser o relacionamento mais importante que eu devo ter?" A resposta é *não*. O relacionamento conjugal é o segundo relacionamento mais importante de sua vida. Tudo o que Deus quer que você seja no casamento, você irá aprender com seu relacionamento com Cristo. Ele tem de ser o primeiro. É seu lugar de direito como Senhor. Você não quer que seu marido ou sua esposa ame você mais do que qualquer outra coisa. Você quer que ele ou ela ame

Jesus mais do que qualquer coisa ou qualquer outra pessoa, incluindo você. Somente a pessoa que estiver, em primeiro lugar, "casada" com Jesus poderá correta e adequadamente cumprir seu papel bíblico no casamento.

Comece a orar por seu casamento

Ore para que você ame Jesus mais do que qualquer outra pessoa em sua vida. Ore da mesma maneira por seu cônjuge. Ore para que suas respectivas relações com Jesus sejam sua maior prioridade.

Você já aceitou o convite de casamento de Jesus? E seu cônjuge? Vamos olhar para as Escrituras e ver o que acontece quando Jesus não é o primeiro em nossas vidas.

Seis bolas foras e você ainda está no jogo

O sol estava alto no céu quando Jesus considerou a mulher diante dele. Ela tinha vindo tirar água no histórico poço de Jacó, fora da pequena aldeia de Sicar. Era meio-dia. A maioria das mulheres vinha ao poço no início da manhã ou ao entardecer, para evitar carregar os pesados jarros de água no calor do dia. Essa mulher viera em uma hora inconveniente, talvez para evitar as multidões — incluindo os olhares críticos e as línguas fofoqueiras — que ela inevitavelmente encontraria em um momento mais cômodo. Ela não era uma prostituta, no pleno significado do termo, mas, para seus vizinhos, ela poderia muito bem ser. Então, aquela mulher da noite veio para tirar água no meio do dia.

Jesus envolveu-a em sua conversa. Teria sido fácil, até mesmo esperado, ignorá-la. Naquela cultura, homens e mulheres estrangeiros não se falavam. Além disso, os judeus e os samaritanos, que eram amargos rivais religiosos, nunca interagiam socialmente. Jesus conversar com aquela mulher foi algo surpreendente, para dizer o mínimo. Mas ele sabia o que estava fazendo. A alma ferida da mulher precisava do que só ele poderia oferecer. Jesus resolveu abordar um assunto que poderia relacionar a ela — a sede.

> JESUS: Eu estou com sede. Será que você poderia tirar um pouco de água para mim?
> Mulher: Por que você está falando comigo? Você sabe que os judeus não falam com os samaritanos, especialmente com as mulheres.
> JESUS: Se soubesse quem eu sou e o que eu poderia oferecer, *você* estaria pedindo água a *mim*. Então eu lhe daria água viva.
> MULHER: Desculpe-me, senhor, mas você parece um pouco despreparado para falar sobre oferecer água. Você está de mãos vazias. Como pretende tirar a água viva da qual está falando? Quem o senhor pensa que é?
> JESUS: Eu não estou falando sobre a água deste poço. Estou falando sobre o tipo de água que somente eu posso oferecer. Se você beber dela, nunca mais terá sede. Na verdade, a água que eu lhe der produzirá uma fonte de vida eterna que jorrará dentro de você.
> MULHER (não entendendo): Parece bom para mim. Eu adoraria nunca mais ter sede e não ter

> de voltar a este poço e reabastecer esses jarros. Dê-me dessa água!
> Jesus (indo direto ao assunto): Vá buscar seu marido.
> Mulher (depois de uma longa pausa, com os olhos baixos): Eu não sou casada.
> Jesus: Exato. Você foi casada cinco vezes. O homem com quem você divide a cama agora não é seu marido. Então eu acho que você está certa quando me diz que "não é casada".
> Mulher (depois de outra longa pausa): Deixe-me adivinhar, você é um profeta. Certo?

(Para uma versão mais literal e inspirada dessa conversa, ver João 4:5-19.)

Você consegue ver o que Jesus fez nessa conversa? Ele envolveu a mulher a respeito de um sintoma (sua sede), mas, em seguida, mudou rapidamente para a fonte de seu problema (seu pecado). A mulher tinha cometido o terrível e muito comum erro de olhar para os outros seres humanos a fim de atender às necessidades que somente Deus pode satisfazer. Se o casamento pudesse satisfazer a alma, então esta mulher deveria estar no nirvana espiritual. Na verdade, ela estava em um deserto espiritual. Seus cinco casamentos tinham sido incapazes de preencher as necessidades de sua alma faminta e ferida. Quando Jesus a encontrou, ela tinha desistido de casamentos, mas não de sua busca. Tragicamente, ela ainda estava procurando no lugar errado.

Comece a orar por seu casamento

Peça a Deus para derramar sua água viva em seu casamento. Ore para que você e seu cônjuge tenham mais sede de Deus e de sua água viva do que de qualquer outra coisa.

Cisternas rachadas e lábios empoeirados

O erro cometido pela mulher descrita em João 4 é o mesmo que muitas pessoas ainda levam a efeito hoje. De alguma forma, elas acreditam que o casamento é o princípio para uma vida feliz. Estão erradas, e é por isso que muitos relacionamentos acabam falhando. Se as pessoas entram em um casamento na esperança de que um relacionamento com outro ser humano possa, de alguma forma, completá-los, elas ficarão muito decepcionados. Como seres humanos — pecadores, quebrados e inconsistentes — não podemos atender aos anseios de nossas próprias almas, e muito menos aos de outra pessoa.

Tentar esboçar a vida espiritual de outro ser humano espiritualmente depravado é uma estratégia relacional pobre. Mas nós fazemos isso o tempo todo. As pessoas começam um relacionamento, vão morar juntas, tornam-se sexualmente ativas e até mesmo se casam na esperança de encontrar satisfação. Mas isso simplesmente não funciona. Tais relacionamentos não são nada mais do que uma pessoa desesperada e carente tentando sugar a vida de outra. É o que um amigo meu costumava chamar de "dois carrapatos, nenhum cão".

A Bíblia oferece uma descrição mais sóbria do fenômeno. O profeta Jeremias chamou isso de idolatria. Ouça suas palavras, ditas para a nação de Judá prestes a ser exilada, quase setecentos anos antes de Cristo:

> "Alguma nação já trocou os seus deuses?
> E eles nem sequer são deuses!
> Mas o meu povo trocou a sua Glória por deuses
> inúteis.
> Espantem-se diante disso, ó céus!
> Fiquem horrorizados e abismados", diz o
> SENHOR.
> "O meu povo cometeu dois crimes:
> eles me abandonaram, a mim, a fonte de água
> viva;
> e cavaram as suas próprias cisternas,
> cisternas rachadas que não retém água."
>
> Jeremias 2:11-13

Nessas desafiadoras palavras, Jeremias acusa os sacerdotes e líderes de Judá de tomar duas decisões muito tolas. Primeiro, eles abandonaram a fé e a dependência de Deus. Em segundo lugar, colocaram sua confiança em ídolos inanimados e sem vida que não podiam nem ouvir suas orações nem satisfazer suas necessidades.

Antes de julgar essas pessoas de forma muito dura, temos de reconhecer que fazemos exatamente a mesma coisa. Embora juremos fidelidade a Deus com nossas bocas, olhamos para as coisas (ídolos) para uma maior satisfação. Você pode dar nome a elas — dinheiro, poder, segurança emprego, talentos, sexo, popularidade, posses e até mesmo relacionamentos. Nossos ídolos são muito mais glamorosos e sofisticados do que as estátuas de ouro adoradas pelos contemporâneos de Jeremias, mas, no entanto, elas continuam sendo ídolos. E são igualmente insuficientes para a satisfação das necessidades da alma humana.

Para aqueles dentre nós que são casados, um provável e tentador objeto de nossa lealdade equivocada é o cônjuge. Homens e mulheres fazem deuses podres, mas mesmo assim os endeusam. Não é que nós realmente os vejamos como divinos, porque sabemos que não o são. Mas é fácil cair na rotina de olhar para a pessoa que mais amamos no mundo para atender às necessidades mais profundas e urgentes de nossa alma. Nós nos inclinamos excessivamente ao cônjuge, de alguma forma pensando que sua aprovação, seu amor, seu sorriso, seu carinho, suas palavras, sua presença ou sua bênção acabarão por nos dar vida. Eu não posso dizer-lhe o número de vezes que aconselhei mulheres cristãs que namoravam completos insucessos espirituais, ou já estavam casadas com eles, simplesmente porque não podiam suportar o fato de não ter um homem em sua vida. O estigma social e o golpe pessoal de sentir-se indesejada e pouco atraente eram mais do que podiam suportar. Elas se contentavam com qualquer rapaz com quem pudessem obter a equivocada esperança de que seriam queridas por inteiro.

A mesma lealdade equivocada pode até se tornar um casamento cristão saudável. Muitos discípulos comprometidos de Cristo são igualmente culpados de oferecer respeito e deferência verbal a Deus, mas buscar no cônjuge segurança e autoestima. É fácil ser assim. Falo por experiência própria.

Procurando o amor nos lugares errados

Falei anteriormente sobre minha tentativa frustrada no "grande pedido" de casamento. Bem, tenho vergonha de admitir que fui igualmente malsucedido na "grande ilusão". A "grande ilusão", como eu lhe chamo, foi minha tentativa de manter-me no controle, embora estivesse muito inseguro e emocionalmente carente. Eu era um pastor, e, ainda assim, era culpado de níveis elevados de idolatria. O objeto de minha adoração e idolatria? Minha esposa, Susie.

Minha idolatria não era ostensiva nem deliberada, mas era real. Enquanto proclamava Cristo aos outros e os ensinava a deixar que Jesus satisfizesse suas necessidades, eu na verdade permanecia mais dependente de minha própria esposa que de meu Senhor. Buscava em Susie minha autoestima e autoconfiança. Se Susie e eu estávamos bem no relacionamento, eu estava bem. Se Susie estava com raiva de mim ou desapontada comigo, minha autoestima e autoconfiança iam pelo ralo. Se ela estivesse distante ou apenas precisando de um pouco de espaço, eu levava para o lado pessoal. Eu podia honrar a Jesus com minha boca, mas a pessoa que claramente tinha mais controle sobre mim era Susie. Era uma posição que ela não queria, porém, eu dei a ela assim mesmo. Ao fazer isso, destruí meu relacionamento com Deus e também criei uma pressão significativa para Susie. Ela não apenas era responsável por sua própria condição espiritual, mas também se tornou involuntariamente responsável pela minha. Ela teve de cuidar e conduzir duas almas, e não apenas uma. Susie não podia se dar ao luxo de ter um dia ruim, a não ser "no espírito", ou simplesmente desejar algum tempo de inatividade. Uma resposta errada dela poderia me jogar em uma queda espiritual vertiginosa.

Tragicamente, eu era um exemplo vivo da ilustração profética de Jeremias. Eu havia abandonado minha glória, a fonte de água viva, e cavado cisternas rachadas e vazias para mim. Eu estava tentando delinear a vida a partir de uma fonte (Susie), que não era nem provida nem capaz de fazê-lo. E isso estava matando nós dois.

Então, o que aconteceu? Como foi que consegui escapar de minha idolatria autoimposta? Depois de uma série de acontecimentos e conversas dirigidas por Deus, Susie e eu chegamos à conclusão de que eu precisava de uma cura emocional significativa. Susie começou a orar por mim. Lembro-me de quando ela me contou que estava orando a Deus para me curar. Na verdade eu jamais pensei que precisava de cura. Mas estava errado.

Susie teve bom senso suficiente para saber que aquilo que estávamos vivendo não era normal nem saudável. Ela também teve maturidade para saber que não poderia me mudar. Então orou. Ao longo da próxima década, Deus quebrou meu orgulho exterior e estilhaçou meu coração. Ele me mostrou o que era a graça, expôs os ídolos de minha vida e me libertou de anos de pecado e fidelidade a coisas erradas. Talvez eu não esteja exagerando quando digo que as orações de Susie e as respostas da graça de Deus a essas orações salvaram nosso casamento.

E você? Consegue se identificar? Está em um casamento que pode ser descrito mais por cisternas rachadas do que por rios de água viva? Você é muito dependente de seu cônjuge? Ele ou ela é muito dependente de você? Um ou outro experimenta um abismo emocional em face do conflito conjugal? Você confia demais na intimidade sexual para sua autoestima? Você se sente preso ao seu cônjuge em uma relação de codependência? Se é assim, então começar a orar! Deus quer curar você, seu cônjuge e seu casamento.

Comece a orar por seu casamento

Peça a Deus para ajudar você e seu cônjuge a ter suas maiores necessidades emocionais e espirituais atendidas por Jesus.

Quando é bom chegar em segundo

No livro do Apocalipse, Jesus repreendeu os cristãos de Éfeso por terem prioridades inadequadas e fora de foco: "Contra você, porém, tenho isto: você abandonou o seu primeiro amor" (2:4). O primeiro amor que eles tinham abandonado era o próprio Jesus. Como Rei dos reis e Senhor dos senhores, ele não se encaixa bem no segundo lugar. Colossenses 1:18, diz que é natural que Jesus seja o primeiro em tudo. Isso inclui nossos relacionamentos.

Quando você orar pelo casamento, ore para que você e seu cônjuge sintam-se confortáveis em segundo lugar. Não é uma coisa ruim ir após Jesus. Isso é exatamente o que Deus quer para nós no casamento: Jesus em primeiro lugar, seu cônjuge em segundo.

Casais que vencem a tentação de colocarem-se mutuamente à frente de Jesus saberão aumentar a intimidade e a segurança no relacionamento. Eles sentirão uma menor pressão para viverem certos papéis no casamento e estarão livres para amar do jeito que Deus deseja. A mentalidade "Jesus em primeiro lugar, seu cônjuge em segundo" criará um fluxo de impulso espiritual e de graça do Espírito Santo que irá permear todas as áreas do relacionamento conjugal.

Ore poderosamente hoje

À medida que você aprender a olhar para Jesus pela vitalidade espiritual no casamento, você começará a perceber que muitas áreas de seu relacionamento ganharam uma nova perspectiva. Aqui estão algumas maneiras pelas quais você pode orar para que seu casamento seja fortalecido enquanto você e seu cônjuge amam a Jesus em primeiro lugar:

- Ore para que um conflito não leve nenhum de vocês a desligar-se ou recuar emocionalmente. Peça a Deus para torná-lo seguro nele o suficiente para não se sentir ameaçado e instável quando você e seu cônjuge discordarem.
- Ore para que você aprenda as disciplinas envolvidas no beber das águas vivas do Espírito Santo. Peça a Deus para ensiná-lo a desfrutar de sua presença e ser preenchido por seu Espírito.
- Ore para que você sempre tenha motivos certos quando lidar com seu cônjuge. Peça a Deus para dar-lhe um coração de servo para com ele ou ela. Ore para que você sempre aborde seu cônjuge com a intenção de dar, e não de receber.
- Ore por uma perspectiva saudável e bíblica sobre o sexo. Peça a Deus para ajudá-lo a ver o ato sexual como uma renovação de sua aliança de casamento e como uma oportunidade para mostrar graciosamente seu amor e compromisso para com seu cônjuge.
- Peça para que você nunca torne seu cônjuge em um ídolo ou tente ter um casamento "perfeito." Ore para que você sempre priorize seu amor por Jesus e que nunca deixe que nada se interponha entre o coração dele e o seu.

Versículos para orar por seu casamento

- Apocalipse 2:4-5: *Pai, tu és o meu primeiro amor. Ajuda-me a sempre amar-te e adorar-te em primeiro lugar. Oro para que minha esposa te ame mais do que ela me ama. Ajuda-nos a nunca deixar de seguir-te.*

- Êxodo 20:3-4: *Senhor Deus, não permitas que adoremos quaisquer deuses, mas somente a ti, o único Deus verdadeiro. Ajuda a mim e a meu cônjuge a amar e adorar somente a ti. Ajuda-nos a manter-te sempre em primeiro lugar em nossas vidas e nunca colocar nada nem ninguém acima de ti.*
- João 7:37-38: *Jesus, tu prometeste que poderíamos saciar a nossa sede em ti. Mostra-nos como beber de teu manancial de águas vivas. Ajuda-nos a nunca nos contentar com as cisternas rachadas e empoeiradas que o mundo oferece. Ajuda-nos a olhar só para ti como a fonte de nossa vida espiritual.*

Uma oração pelo casamento

Pai santo, eu oro pelo meu casamento. Agradeço-te por me dares uma esposa amorosa. Oro para que ela se apaixone por ti. Oro para que ela olhe para ti em busca de teu fortalecimento, tua esperança, tua alegria, tua autoestima e tua segurança. Oro para que ela conheça a doçura de amar Jesus. Sê o seu primeiro amor, ó Deus. Cria em minha esposa um anseio fervoroso por ti. Eu oro isso para mim também. Ajuda-nos a amar-te mais do que nós nos amamos. Oro no poderoso nome de Jesus. Amém.

CAPÍTULO 4

ORANDO POR INTIMIDADE EMOCIONAL

FOI NA SEMANA APÓS O DIA DO Trabalho de 2006. Minhas duas filhas e eu ficamos até tarde da noite assistindo a reprises de programas do Family Channel quando topamos com o funeral de Steve Irwin, o famoso caçador de crocodilos. O funeral estava sendo transmitido ao vivo da Austrália e imediatamente nos encantou.

A transmissão contou com breves comentários de várias celebridades que conheciam Irwin. Uma delas era o ator Kevin Costner. Costner comentou que Irving era a pessoa mais autêntica que ele já havia conhecido. Afirmou que Irwin era autêntico e nem um pouco pretensioso. Steve Irwin, de acordo com Costner, era demais.

Esses comentários me atingiram. Não porque eu duvidasse que do que ele disse. Acredito que aquele homem apaixonado era autêntico e despretensioso. O que me impressionou foi Costner afirmar que nunca tinha conhecido um ser humano mais autêntico. Talvez estivesse exagerando ou não estivesse pensando em sua família. Mas os comentários dele levantaram uma boa pergunta: quão longe em seu mundo relacional você tem de ir para encontrar uma pessoa verdadeiramente autêntica? Essa pessoa é um parente, um colega de trabalho, um membro de seu grupo de amigos ou da turma da escola dominical? A verdadeira autenticidade é uma característica difícil de encontrar nas pessoas hoje em dia. Talvez seja por isso que pessoas como Steve Irwin se destacam em nossas mentes. Relações autênticas — em que ambas as partes são igualmente verdadeiras e extremamente unidas por causa disso — são ainda mais difíceis de encontrar.

Mas isso não tem que ser assim. Deus criou o casamento para que fosse o relacionamento humano que garante a autenticidade e a intimidade que ele produz. Você não deveria precisar olhar para mais longe do que seu próprio casamento para encontrar seu relacionamento mais íntimo e significativo. Neste capítulo, vamos aprender a orar pela verdadeira intimidade emocional. Em outras palavras, vamos ver o que significa orar para que você e seu cônjuge estejam *nus, porém, sem sentir vergonha.*

Nu: desnudo, pelado, indefeso, descoberto

Para entendermos perfeitamente o que Deus tem em mente para nossa intimidade conjugal, e para sermos mais bem capacitados a orar biblicamente para isso, precisamos voltar às palavras iniciais de Deus sobre o assunto. No segundo capítulo da Bíblia, no contexto da criação original, Deus nos diz como se sente a respeito da intimidade conjugal: "O homem deixará pai e mãe e se unirá à sua mulher, e eles se tornarão uma só carne. O homem e sua mulher viviam nus, e não sentiam vergonha" (Gênesis 2:24-25).

Várias ideias interessantes podem ser encontradas nessas profundas palavras, e é preciso tê-las em mente quando oramos pelo casamento. Em primeiro lugar, Deus descreveu a união entre um homem e uma mulher como sendo "uma só carne". É difícil enfatizar a importância dessa ideia. Lembre-se de que o acontecimento que levou à criação de Eva foi a falta uma parceira adequada para Adão no reino animal:

> Depois que formou da terra todos os animais do campo e todas as aves do céu, o SENHOR Deus os trouxe ao homem para ver como este lhes chamaria; e o nome que o homem desse a cada ser vivo, esse seria o seu nome. Assim o homem deu nomes a todos os rebanhos domésticos, às aves do céu e a todos os animais selvagens. Todavia não se encontrou para o homem alguém que o auxiliasse e lhe correspondesse.
>
> Gênesis 2:19-20

Você não está feliz por Adão não ter encontrado uma parceira adequada? Acho que Adão apresentou excelentes níveis de percepção e discernimento. E se, enquanto Deus estivesse desfilando os animais diante dele, Adão, de repente, dissesse: "Espere aí, Deus. Pare aí. Eiiii, canguru!"? Estou realmente contente por isso não ter acontecido.

Deus queria que Adão visse o quão especial Eva viria a ser. Ele queria que Adão soubesse que precisava de uma criação especial de Deus, alguém com quem poderia ser completamente um só. A frase "uma só carne" é o maior elogio que Deus poderia prestar ao relacionamento humano. É também o padrão elevado que estabeleceu para nosso compromisso de casamento. Deus quer e espera de nós uma experiência no casamento de um nível de unidade inigualável a qualquer outro relacionamento que tenhamos. Ele quer que sejamos um.

Outra ideia interessante é que, como vimos no capítulo anterior, Deus estabeleceu o casamento como nossa prioridade *após* nosso relacionamento com ele. Ele instruiu a todos os homens e mulheres que optam por se casar a deixar a família de origem e criar uma nova unidade familiar. Essa nova família torna-se sua prioridade relacional e merece seus melhores esforços. É como se Deus dissesse: "Se você vai se casar, então eu espero que você dedique-se totalmente ao relacionamento. Eu quero que você e seu cônjuge se apeguem um ao outro mais do que a qualquer outra pessoa." Quando esse tipo de compromisso sem limites manifesta-se no casamento, ajuda a construir uma intimidade conjugal séria.

Por fim, Deus espera que sejamos abertos e vulneráveis uns aos outros no relacionamento conjugal. A frase "o homem e sua mulher viviam nus, e não sentiam vergonha" é descritiva e pungente. É óbvio que Moisés, o autor do Gênesis, estava se referindo, diretamente, à nudez física de Adão e Eva. Estava descrevendo o tempo antes de o pecado entrar na história e quebrar a união que Adão e Eva tinham com Deus e um com o outro. Depois da rebelião, Deus os vestiu com peles de animais. Eles já não eram inocentes, e, assim, sua nudez física já não era apropriada.

Mas as palavras de Moisés referem-se muito mais do que apenas à inicial falta de roupa de Adão e Eva. Implícitas na frase em hebraico estão as ideias de vulnerabilidade, autenticidade e segurança. Nem Adão nem Eva sentiram necessidade de esconderem-se um do outro. Eles não tinham segredos e certamente não tinham medo de sentir vergonha ou rejeição. Estavam completamente expostos — física, emocional e mentalmente — sem qualquer medo de uma reação negativa por parte do outro. Foi o relacionamento mais seguro e mais puro do mundo e representa exatamente o que Deus quer que você saiba no casamento. Essa intimidade é impossível de se alcançar sem que ambos, você e seu cônjuge, mantenham prósperas e significativas relações com Deus.

Comece a orar por seu casamento

Ore para que seu casamento seja uma relação segura. Peça a Deus para que você possa cultivar a abertura e a honestidade emocional no matrimônio. Ore para que você e seu cônjuge confiem um no outro mais do que ninguém.

Blusas, sapatos e calças são obrigatórios

Enquanto escrevo estas palavras, estou sentado em um McDonald's no aeroporto de Denver, voltando para casa a fim de umas férias de inverno. O aeroporto está lotado, e estou cercado por pessoas do mundo inteiro. Ao olhar à minha volta, percebi algo a respeito de cada uma delas que nós usualmente não damos valor: não havia nenhuma pessoa nua à vista.

A nudez não está em nossa natureza. Mesmo nascendo nus, nós logo aprendemos a nos cobrir e permanecer assim. Mas, quando olho de novo para a multidão, eu vejo algo mais. Vejo homens e mulheres que estão também vestidos — protegidos — emocionalmente. Quase tão depressa como nós aprendemos a nos cobrir fisicamente, também aprendemos a nos cobrir emocionalmente. A sabedoria convencional nos diz que o mundo é um lugar turbulento. Se planejamos sobreviver, é melhor guardar o coração. E, assim, aprendemos a proteger nossos sentimentos mais íntimos — medos, esperanças, mágoas, necessidades —, mesmo no casamento. Poucos de nós nos relacionamos autenticamente bem. A maioria de nós apenas finge.

Você é bom em ser real e autêntico? Não é preciso muito para nos fazer fechar o coração e fazer um voto de celibato emocional. Alguma coisa o levou a construir um muro em torno do coração? Será que seus pais se divorciaram, ou você perdeu o pai quando era jovem? Você foi vítima de abuso emocional, verbal ou físico? Será que você tem poucas amizades saudáveis ou muitos namoros fracassados que só fazem aumentar? Você está acima do peso, não está em muito boa forma física nem é bonito, ou é um fracassado? Você enfrentou o ridículo de muitas vezes não alcançar as expectativas culturais que o fazem sentir-se "aceitável"?

Qualquer uma dessas situações pode ter um impacto negativo sobre sua saúde emocional e sobre sua propensão de tornar-se vulnerável. Se você entrar em um casamento sem a cura do Espírito Santo de Deus nessas áreas, pode apostar que estar *nu, porém, sem sentir vergonha* não irá acontecer facilmente. Mas tais problemas não têm de estragar seus relacionamentos.

Comece a orar por seu casamento

Comece a orar hoje por sua própria cura emocional. Ore por seu cônjuge. Peça a Deus para curar as feridas que possam ter danificado sua capacidade de ser emocionalmente autêntico.

Os benefícios de estar nu

Se orarmos diligentemente e com paixão por nossa intimidade no casamento, precisaremos ter uma boa compreensão das compensações e benefícios da autenticidade relacional. Vamos lembrar por que Deus colocou esse valor sobre a nudez no casamento.

- *A autenticidade abre as portas para a intimidade.* Se intimidade é estar totalmente exposto (estar nu) com outra pessoa, então autenticidade é tirar a roupa. Ser autêntico e real com o cônjuge é o primeiro passo para experimentar a intimidade com ele ou ela. Muitos casamentos só existem em níveis emocionais superficiais porque nenhum dos cônjuges está disposto a assumir o risco de ser autêntico. Lembre-se, o caminho para a intimidade é pavimentado com autenticidade. Portanto, caia na real.
- *A autenticidade é reconfortante.* Em Mateus 5:4, Jesus ensinou que só os que choram serão consolados. Embora pareça pouco convidativo, o luto na verdade é uma parte vital de autenticidade. O luto ou sofrimento a que Jesus se refere incluem expressões verbais e até físicas de realidades emocionais interiores — talvez tristeza pelo pecado, uma amizade que nos desaponta, uma decepção na carreira ou palavras ofensivas proferidas por outros. Mas, resumindo, o luto é uma manifestação externa de uma condição interior. A tristeza ajuda a desabafar a dor e alerta o cônjuge para a necessidade de trabalhar com o processo de cura em uma determinada área. Aqueles que optarem por serem autênticos recebe-

rão o conforto de que precisam. Mas aqueles que escondem seus verdadeiros sentimentos e não são autênticos não serão consolados.

- *A autenticidade nos permite experimentar o amor de Deus.* Há obviamente alguns riscos em desnudar sua alma para outra pessoa, mas Deus criou o casamento para ser o lugar seguro perfeito para assumirmos tais riscos. No casamento, devemos ser capazes de compartilhar nossos mais profundos medos, sonhos e esperanças sem o risco de rejeição. Quando seu cônjuge responde amorosamente à sua confissão do pecado, ou quando você responder com graça à dor emocional dele ou dela, você quer ter a chance de dar forma ao amor de Deus para o outro. A autenticidade é uma grande estrada através da qual o amor de Deus pode fluir, porque dá a você e ao seu cônjuge a chance de responder um aos outro como Deus responderia a você.
- *A autenticidade elimina qualquer necessidade de fingimento.* Uma vez, quando eu estava conduzindo um estudo bíblico sobre autenticidade, perguntei ao grupo quais as vantagens de dizer a verdade. Eu estava procurando respostas como as que listei: aumento da intimidade, chance de ser plenamente amado — e outras coisas espirituais. Um homem maduro, de sessenta e poucos anos, levantou a mão e, em seguida, respondeu com uma fala arrastada: "Você sabe, a vantagem de dizer a verdade é que você nunca terá que se lembrar do que contou." Levei um momento para entender o que o cara estava dizendo. Mas então percebi que ele estava certo.

Pessoas autênticas não tem de mentir. Não têm de fingir. Maridos e esposas autênticos nunca precisam fingir um com o outro, e eles certamente não precisam manter em mente suas histórias. Eles apenas vivem na verdade e sempre que podem conversam sobre si.

- *A autenticidade permite-lhe dar-se a conhecer.* A trágica realidade é que muitos seguidores de Cristo vivem décadas de casamento sem nunca ser totalmente conhecido por seu cônjuge. Eles temem que, se forem muito honestos sobre quem eles são, o cônjuge irá julgá-los, pensarão mal a seu respeito, se afastarão deles, ou, pior de tudo, os rejeitarão. Muitos cristãos não consideram que podem se dar ao luxo de relacionarem-se de maneira genuína. Eles assumem que o cônjuge não pode lidar com a plena revelação, e, infelizmente, nunca lhes dão a oportunidade de fazê-lo.

Mas muitas vezes estão errados. O próprio cônjuge que você acha que irá rejeitá-lo pode de fato amá-lo mais e manter-se mais perto quando se é honesto com ele ou com ela. Como você pode ser amado e aceito no casamento (que é um projeto de Deus) se não dá ao seu cônjuge a oportunidade de amá-lo e aceitá-lo de forma plena? A autenticidade abre a porta para você e seu cônjuge para que realmente saibam tudo um sobre o outro. Mas tal nível de abertura é uma escolha. Somente os casais que assumem o risco de uma verdadeira autenticidade relacional descobrirão o tesouro oculto da intimidade conjugal.

Uma vida autêntica também pode produzir um pouco de caos em curto prazo. A vulnerabilidade relacional nem sempre atrai aplausos dos outros em um primeiro momento. Ela pode ser satisfeita com algum choque inicial, mágoa, surpresa ou até mesmo raiva. Mas, no longo prazo, ela libera você e seu cônjuge para viverem na luz perante Deus e um diante do outro.

Considere estas declarações autênticas que os indivíduos fazem todos os dias no casamento. Embora possam gerar tensão a curto prazo, elas vão trazer liberdade a longo prazo.

- Quando você fala desse jeito, realmente me machuca.
- Quando nos casamos, eu não era virgem.
- Na última vez que viajei, eu assisti a um filme pornográfico no hotel.
- Eu disse algumas coisas sobre você para meus amigos íntimos que eu não deveria ter dito.
- Fui abusado(a) quando era criança.
- Acho que sou alcoólatra.
- Sinto um profundo sentimento de medo e insegurança.
- Tenho medo de perder meu emprego.
- Acho que estou sempre sentindo um pouco de raiva de você.
- Não tenho certeza se sou mesmo cristão.
- Tenho um distúrbio alimentar.
- Tenho medo da morte.
- Venho gastando dinheiro escondido(a) de você.
- Acho que Deus está me chamando para o ministério.
- Preciso confessar uma coisa para você.
- Sinto como se você nunca me ouvisse de verdade.
- Gostaria que pudéssemos passar mais tempo juntos.
- Eu estou tendo dificuldades em meu relacionamento com Deus.

- Há uma pessoa no escritório por quem estou começando a me sentir atraído(a).
- Receio que seu hábito de beber esteja prejudicando nosso relacionamento.

Jesus nos ensinou que a verdade nos liberta (ver João 8:32). Por mais difícil que algumas dessas confissões autênticas possam parecer, os casais que se permitem tais níveis de nudez relacional também experimentam níveis de intimidade e unidade que não podem ser alcançados de outra forma. Eles são livres para amar um ao outro sem fingimento.

Comece a orar por seu casamento

Ore para que Deus ajude você e seu cônjuge a ter uma conversa significativa, reveladora e íntima nas próximas duas semanas.

O segredo para a autenticidade

Vamos considerar Gênesis 2:25 novamente: "O homem e sua mulher viviam nus, e não sentiam vergonha." Alguma vez você já se perguntou como isso era possível? Como Adão e Eva foram capazes de ser tão autênticos e não temerem a rejeição? Por que a nudez era tão fácil para eles?

Lembre-se de que Adão e Eva viviam em um ambiente sem pecado. Não houve barreiras do pecado para inibir a relação com Deus. Eles foram capazes de ser autênticos e nus um com o outro sem medo, porque totalmente seguros em suas respectivas relações espirituais. Adão e Eva apresentaram, ambos, níveis mais elevados de intimidade no relacionamento com Deus do que tinham um com o outro. Como resultado, a autenticidade no relacionamento humano surgiu de maneira natural para eles.

Mas o que aconteceu quando pecaram? Eles imediatamente perceberam que estavam nus — expostos e desprotegidos — e se cobriram. Isso não é trágico? A queda de Adão e Eva e o subsequente recuo para seus cantos separados é um exemplo evidente do que acontece no casamento, quando nossos corações não são corretos com Deus. Se não estamos sendo autênticos e abertos com Deus, não há nenhuma maneira de estarmos nus um com o outro. É por isso que a verdadeira intimidade conjugal exige que estejamos bem com Deus. É por isso que a intimidade conjugal requer oração.

O melhor exemplo de nudez

Quando orar por autenticidade conjugal, peça um coração e espírito de fé cujo modelo Jesus é para nós. Ele é o melhor exemplo de uma vida autêntica.

Considere a noite antes da crucificação de Jesus. Numa demonstração de total humildade e quebrantamento, que seus discípulos não tinham visto antes, Jesus pediu a Pedro, Tiago e João para apoiá-lo na agonia que antecedia a crucificação. Mateus nos dá uma vívida descrição da cena:

> Levando consigo Pedro e os dois filhos de Zebedeu, começou a entristecer-se e a angustiar-se. Disse-lhes então: "A minha alma está profundamente triste, numa tristeza mortal. Fiquem aqui e vigiem comigo."
>
> Mateus 26:37-38

Jesus não fez nenhum esforço para parecer forte ou agir como um líder destemido para os discípulos. Seu coração estava angustiado, e ele queria que os seguidores soubessem disso.

Em outra cena clássica de humildade e vulnerabilidade (também na noite antes de sua morte), Jesus lavou os pés de seus discípulos. João, uma testemunha ocular, recorda o acontecimento:

> Jesus sabia que o Pai havia colocado todas as coisas debaixo do seu poder, e que viera de Deus e estava voltando para Deus; assim, levantou-se da mesa, tirou sua capa e colocou uma toalha em volta da cintura. Depois disso, derramou água numa bacia e começou a lavar os pés dos seus discípulos, enxugando-os com a toalha que estava em sua cintura.
>
> João 13:3-5

Você notou o que João disse sobre Jesus? "Jesus sabia que o Pai havia colocado todas as coisas debaixo do seu poder, e que viera de Deus e estava voltando para Deus" (v. 3). Jesus estava seguro em seu relacionamento com Deus. Sua situação diante de Deus não estava em questão. Ele podia correr o risco de parecer vulnerável do ponto de vista emocional para seus discípulos, porque estava firmemente preso no relacionamento que mais importava — aquele com o Pai. Jesus humilhou-se, lavando os pés dos discípulos (papel normalmente reservado aos escravos), e compartilhou seus medos e dores mais profundas. Esse é o tipo de autenticidade que precisamos demonstrar no casamento. Esse é o tipo de coragem que queremos ter com nossos cônjuges. E esse é o nível de vulnerabilidade pelo qual precisamos orar.

Aplique esse conceito especificamente ao seu casamento. A capacidade de estar *nu, porém, sem sentir vergonha* não depende, principalmente de aceitação mútua, embora isso sem dúvida faça parte da equação. O primeiro passo em direção à intimidade relacional é certificar-se de que você está seguro em seu relacionamento com Deus. Se quiser encontrar o nível de intimidade de "uma só carne" que Deus projetou para o casamento, então você deve primeiro assegurar seu coração no amor do Pai celestial. Leia a Palavra. Ore diariamente. Adore aberta e apaixonadamente. Ame-o em primeiro lugar. Só então você será livre bastante para amar e aceitar seu cônjuge incondicionalmente. Assim como Jesus, por causa de sua forte relação com Deus, você será capaz de se humilhar e ser autêntico com seu cônjuge.

A intimidade emocional não tem de se limitar a contos de fadas e casamentos da TV. Ela pode ser uma realidade em qualquer casamento, incluindo o seu. Mas o ambiente necessário para cultivar segurança emocional e relacional e, por conseguinte, produzir a autenticidade, deve ser fortemente protegido. Uma vez que a confiança e a segurança emocional são perdidas, a relação pode levar anos para se recuperar. Então ore. Ore a Deus para tornar sua casa uma amorosa incubadora para a vulnerabilidade relacional. Ore para que você sempre reaja ao seu cônjuge de uma forma piedosa e humilde, mesmo quando for difícil. Ore para que o casamento seja o lugar mais seguro do mundo para vocês dois.

Ore poderosamente hoje

Aqui estão alguns hábitos que podem ajudar a produzir intimidade no casamento:

- Ore sobre seu relacionamento com Deus. Ore para que você venha a se sentir totalmente livre e seguro diante dele. Ore para que seu relacionamento com Deus seja o mais importante e significativo em sua vida. Ore o mesmo por seu cônjuge.
- Ore por autenticidade diante de Deus. Confesse seus pecados, medos e sentimentos mais profundos. Não os esconda dele.
- Ore todos os dias por seu cônjuge. Ore para que ele seja verdadeiro e autêntico diante de Deus.
- Se possível, ore todos os dias com seu cônjuge. Se um de vocês estiver viajando, orem por telefone. Sempre orem juntos à noite, antes de dormir.
- Peça a Deus para lhe mostrar onde você está sendo inautêntico no casamento. Ore pela oportunidade e coragem para tornar-se realmente "desnudo" diante de seu cônjuge.
- Ore para que o casamento seja o lugar seguro e autêntico que Deus deseja.
- Ore para que Deus dê a você e ao seu cônjuge o dom da intimidade emocional.

Versículos sobre intimidade emocional para orar pelo casamento

- Gênesis 2:24-25: *Pai, eu oro para que meu cônjuge e eu abandonemos outras fontes de dependência humana e nos unamos um ao outro todos os dias. Faz-nos um — da maneira que tu desejas para uma relação de casamento. Peço também, Senhor, que nos dês a coragem, a graça e o amor para estarmos nus em nossa relação com o outro, sem sentirmos vergonha. Faz com que sejamos um lugar seguro um para o outro.*

- Efésios 4:15: *Pai santo, dá-nos o compromisso e a coragem de sempre dizermos a verdade um ao outro, e fazer isso em amor.*
- Efésios 4:29: *Precioso Deus, protege-nos de dizer ou pensar palavras más e prejudiciais um para o outro. Ensina-nos a falar apenas palavras que nos edifiquem um ao outro e que encorajem a intimidade.*

Uma oração pelo casamento

Precioso Pai, obrigado pelo dom da intimidade. Obrigado por enviares teu Filho para se sacrificar a fim de tornar possível que eu tivesse intimidade contigo. Por favor, vem a ser o relacionamento mais importante de minha vida. Ajuda-me a amar-te, desejar-te e depender de ti mais do que qualquer outra coisa. Eu oro por meu casamento. Ajuda-nos a sermos seguros o suficiente em ti, para que sejamos autênticos um com o outro. Faz-nos como Jesus — conhecendo de onde viemos e para onde vamos — para que possamos ser humildes, lavar os pés um do outro, e compartilhar até mesmo nossas mais profundas mágoas e medos. Dá-nos, ó Deus, uma intimidade tal qual aquela experimentada por Adão e Eva no paraíso. Oro no santo nome de Jesus. Amém.

CAPÍTULO 5

ORANDO POR INTIMIDADE ESPIRITUAL

"É POR ISSO QUE EU ACHO QUE OS casais devam sempre ter relações sexuais antes de algo mais sério. Quer dizer, se eles não podem ter um sexo incrível, qual é o interesse de ficarem juntos?"

O sujeito que se sentou diante de mim em meu escritório era bastante sério, mas eu não podia acreditar no que estava ouvindo. De acordo com ele, homens e mulheres precisam ser tão sexualmente ativos quanto possível antes do casamento. Sua mentalidade era: "Encontre uma garota que seja ótima na cama e agarre-se a ela. Qual é o propósito de se casar com um fracasso sexual? Se eu terei de viver com alguém para o resto da vida, eu bem que poderia incluir um bom sexo neste processo. Certo?"

Eu ouço afirmações como essa com demasiada frequência. Após digerir o máximo que posso desse jargão relacional, normalmente pergunto: "E se sua esposa sofrer um acidente de carro no início do casamento, ficar paralisada do pescoço para baixo e nunca puder ter uma relação sexual novamente? Você lidará bem com isso?" Minha pergunta em geral provoca uma longa e desajeitada pausa, enquanto ele considera a resposta certa. É especialmente divertido fazer essa pergunta na frente de sua parceira sexual atual.

Hoje em dia, a cultura tem vendido à maioria dos homens e mulheres, incluindo os seguidores de Cristo, uma grande variedade de valores. Fomos convencidos de que a intimidade sexual é a mais elevada forma de unidade relacional. A expressão sexual é o nível de intimidade que a maioria dos casais usa como padrão para a intimidade entre eles. Muitos casais (casados, noivos, namorados e/ou que vivam juntos) medem o sucesso ou a saúde do relacionamento com a frequência e o "fator uau!" do sexo. Mas, na realidade, a união sexual pode ser o menor e mais facilmente alcançável nível de intimidade relacional. Deus criou o sexo e quer que ele seja apreciado no contexto relacional adequado. Mas é evidente que há muito mais coisas implícitas na descrição da intimidade "nus, mas sem sentir vergonha" que nós discutimos no último capítulo. Sexo, independentemente da obsessão de nossa cultura por ele, não é o fator essencial em um relacionamento.

Eu acredito que a intimidade espiritual é o mais elevado nível de intimidade que duas pessoas podem desfrutar. Amizades, relacionamentos em pequenos grupos e especialmente casamentos podem alcançar níveis mais elevados e mais profundos de intimidade quando priorizam e trabalham em direção à unidade espiritual. Tudo aquilo que nos diz respeito na alçada física passará. A intimidade física é maravilhosa e foi dada por Deus, mas não é o mais elevado nível de intimidade que os seres humanos podem experimentar. Relacionamentos que crescem em direção de formas espirituais de intimidade atingirão esferas de unidade, amor e autenticidade que de longe excedem e duram mais que qualquer expressão física de ternura e carinho. Em outras palavras, se você quiser ser verdadeiramente íntimo com alguém, conheça a alma dessa pessoa.[1]

Um só coração e um só caminho

Há uma grande promessa em Jeremias 24:7 que você pode orar quando procurar intimidade espiritual no casamento. Ele afirma: "Eu lhes darei um coração capaz de conhecer-me e de saber que eu sou o Senhor. Serão o meu povo, e eu serei o seu Deus, pois eles se voltarão para mim de todo o coração."

Susie e eu descobrimos o poder dessa promessa quando estávamos na faculdade. Foi uma época particularmente difícil em nosso relacionamento. Eu não tinha certeza de que devíamos continuar o namoro. Eu queria saber se nossa relação tinha o potencial para tornar-se um grande casamento. Lembro-me de estar sentado na cama tarde da noite e abrir aleatoriamente a Bíblia. Ela abriu em Jeremias 24. O versículo 7 imediatamente pulou da página para mim. O que me impressionou nessa grande promessa para a nação de Israel foi a forma singular da palavra *coração* utilizada por Jeremias. Dado que Deus estava falando para uma multidão de pessoas, eu teria esperado que o texto dissesse corações, não coração. Mas Deus estava prometendo ressuscitar seu povo do exílio e selá-los e marcá-los com sua presença. Por isso, eles seriam seu povo; ele seria o Deus deles. Como uma nação, teriam um só coração e uma só alma.

Esse conceito profundo — que um grupo de pessoas pudesse ter um só coração — chamou minha atenção. Eu imediatamente senti que Deus estava oferecendo essa promessa a mim e a Susie. Se quisermos ser seu povo, se quisermos buscá-lo, honrá-lo e servi-lo, então ele será nosso Deus. Ele irá nos guiar como casal e nos dará um coração voltado para ele. Naquele dia comecei a orar Jeremias 24:7 para nosso relacionamento. Compartilhei o versículo com Susie, e ela começou a orá-lo também. Juntos, nós pedimos a Deus, em milhares de ocasiões, que nos desse um coração voltado para ele.

Ao longo dos anos, Susie e eu crescemos mais e mais, unidos no compromisso com Cristo. Observamos a determinação em nossas respectivas caminhadas com Jesus, e isso teve um profundo impacto na forma como nos relacionamos como casal. Temos o privilégio (pela graça de Deus) de nos relacionarmos em um nível que muitos casais nunca conheceram. Não é que eles não possam fazê-lo; eles simplesmente não o fazem. O nível de intimidade que Susie e eu gozamos está disponível para todo casal cristão que busque a Deus. É um dom da graça de Deus e fruto de anos de um tipo de oração baseada em Jeremias 24:7. É a intimidade que acontece entre duas pessoas em um nível espiritual — a intimidade de duas almas.

Orando Jeremias 24:7

Aplique a promessa de Jeremias 24:7 em seu casamento. Adicione a linguagem desse grande versículo em suas orações regulares por você e seu cônjuge. Aqui está o versículo novamente: "Eu lhes darei um coração capaz de conhecer-me e de saber que eu sou o SENHOR. Serão o meu povo, e eu serei o seu Deus, pois eles se voltarão para mim de todo o coração."

- Ore para que Deus dê a você e ao seu cônjuge um só coração. Ore para que estejam sintonizados no mesmo canal quando se tratar do relacionamento com Deus.

- Ore por intimidade espiritual. Peça a Deus para criar um ambiente propício à verdadeira autenticidade espiritual.
- Ore para que você e seu cônjuge venham ambos a conhecer o Senhor. Ore por momentos de discernimento espiritual, de conversas espirituais, e de adoração conjunta no casamento.
- Ore todos os dias para que Deus seja o Senhor de seu casamento. Nomeie-se como seu povo. Reclame-o diariamente como seu Deus.
- Ore para que você e seu cônjuge venham, com frequência, a procurar a presença e o poder de Deus no casamento.
- Ore por proteção das distrações e tangenciamentos temporais que afastariam você e seu cônjuge de buscar a Deus. Ore para que você venha a procurá-lo com todo o coração.

Agora que você sabe como orar por um só coração, vamos nos concentrar no poder e na beleza da intimidade espiritual.

Comece a orar por seu casamento

Peça a Deus para dar-lhe um versículo das Escrituras para orar pelo casamento. Ore para que ele utilize sua Palavra para mostrar o que especificamente se deve orar pelo matrimônio.

Os benefícios da intimidade espiritual

Apesar de a intimidade espiritual ser um conceito claramente bíblico, ela está implícita na Bíblia em vez de ser manifesta diretamente. Vamos discutir as características importantes desse grande dom da unidade espiritual.

A intimidade espiritual é a mais elevada forma de conexão relacional e a mais difícil de desenvolver. Vamos deixar isso claro logo no início: intimidade espiritual é a forma mais intensa, mais satisfatória, mais gratificante e de mais longa duração de uma conexão relacional que duas pessoas podem ter. É também a coisa mais difícil de estabelecer. Aqueles que pretendem se relacionar espiritualmente tem de trabalhar para isso. É preciso orar sobre o assunto e buscar orientação e assistência de Deus para ajustar a alma.

A intimidade espiritual conecta a alma — seu ser mais íntimo, a essência de quem você é — com o próximo, e o faz em torno de um conjunto de valores inegociáveis e imutáveis. Intimidade espiritual é um precursor para o tipo de satisfação relacional inimaginável que todos experimentaremos no céu. Lá seremos capazes de nos relacionar com os outros em um nível profundo e eterno inigualável na terra. Sem o ônus do pecado, da carne e das inibições emocionais, seremos imediatamente conhecidos e capazes de conhecer os outros de forma plena. Aqueles que fazem o duro trabalho de buscar uma conexão espiritual com a ajuda do cônjuge criam momentos espirituais em famílias que são amostras divinas do que conheceremos na eternidade. A intimidade espiritual vale o esforço, o trabalho duro e as orações necessárias para criá-la. De fato, é um pedacinho do céu na terra. E é o que Deus quer para seu casamento.

A intimidade espiritual começa com um compromisso mútuo com Cristo. Nós discutimos isso em detalhes no capítulo três, por isso vou apenas repetir brevemente aqui. Para conhecer a verdadeira intimidade espiritual com seu cônjuge, você precisa amar a Jesus mais do que amam um ao outro. Casais seguidores de Cristo que renderam totalmente suas vidas a ele já deram o primeiro e mais importante passo na direção de uma conexão espiritual verdadeira. A mentalidade de colocar Jesus em primeiro lugar capacita-os a buscar algo maior do que vocês. Isso os leva a ver além dos próprios desejos e necessidades no casamento. Coloca-os na perspectiva correta tanto diante de si mesmos quanto perante Deus.

Quando vocês agem como dois adultos que se entregaram e se renderam um ao outro, isso nivela o jogo de seu relacionamento. A submissão a Cristo comunica que vocês estão em perfeita sintonia na questão mais importante de todas — em quem ou no que vocês adoram como Deus. Essa entrega mútua a Cristo abre o caminho para você se conectar espiritualmente com seu cônjuge.

A intimidade espiritual se manifesta em um compromisso mútuo entre o casal. O evangelho cristão goza do amor incondicional e do favor de Deus. Os destinatários da graça de Deus sabem que seu amor por eles é sem exceção ou limite e é totalmente imerecido. Os seguidores de Cristo sabem que estão vivendo e desfrutando da maravilhosa graça e do surpreendente amor de Deus.[2] Eles também sabem que são chamados para servir de modelo daquele amor em sua relação com os outros. Não há melhor relacionamento do casamento para servir de modelo para o amor incondicional de Deus.

Quando você adota o amor de Deus como padrão para o casamento, ele abre a porta para níveis profundos de intimidade espiritual. Quando você está comprometido com o outro e vocês se amam, aconteça o que acontecer, está criado o solo fértil da confiança a partir do qual a verdadeira intimidade espiritual cresce. Vocês compartilham lutas espirituais, vitórias e a mesma visão. Incentivam um ao outro em seus respectivos esforços espirituais. Oram e apoiam um ao outro. Tornam-se companheiros de equipe, e não concorrentes.

A intimidade espiritual requer uma vontade recíproca de ser espiritualmente autêntico. Steve está tendo dificuldades no trabalho novamente. Não é que demonstre um desempenho fraco; ele na verdade é um funcionário bastante valorizado. Acontece que ele não é feliz. É o quarto emprego de Steve em sete anos. Ele nunca foi demitido ou pediu as contas. Ele apenas não é feliz. A paciente esposa de Steve, Sarah, se manteve ao seu lado ao longo de todo o caos em sua carreira. As frequentes mudanças de emprego geraram custos financeiros e prejudicaram muito seu senso de segurança. O casamento deles não é perfeito, mas ainda é íntimo.

Steve e Sarah, com sucesso, mantêm a prática de serem honestos um com o outro. Quando Steve se sente sem rumo no trabalho, ele conta para Sarah. Ele busca forças e orações em sua busca pelo rumo de sua vida. Quando Sarah se sente cansada, frustrada ou insegura por causa da desorientação de Steve, ela confessa isso a ele. Os dois oram juntos e estabelecem buscar a direção, a disposição, e a liderança de Deus para o futuro.

Como poderia um casal não crescer mais nesse tipo de ambiente? Em um lar onde cada um dos cônjuges se sente livre para discutir abertamente suas lutas espirituais, e onde as conversas espirituais acontecem com regularidade, a intimidade espiritual será o resultado inevitável. Você e seu cônjuge falam sobre assuntos espirituais? Você quer sentir a liberdade de ser autêntico sobre suas preocupações espirituais? Peça a Deus para dar-lhe tal ambiente em seu casamento. Isso criará o tipo de intimidade que Deus quer que você conheça.

Comece a orar por seu casamento

Ore para que você e seu cônjuge tenham verdadeira fome por intimidade espiritual. Ore para que você não se contente com a rotina de ser espiritualmente inautêntico nem se canse dela. Ore pela capacidade de falar sobre suas respectivas relações com Deus de forma amorosa, honesta e encorajadora.

Sendo parceiros espirituais

Deixe-me apresentar-lhe um dos meus casais favoritos na Bíblia: Priscila e Áquila. Esses heróis do Novo Testamento tiveram um casamento de alto impacto. Ambos eram judeus convertidos ao cristianismo que se reuniram ao apóstolo Paulo na cidade de Corinto. Eles fizeram amizade com ele e trabalharam em seu ministério.

Em Atos 18, Lucas nos conta que Deus usou o casamento deles para ajudar um novo cristão chamado Apolo:

> Enquanto isso, um judeu chamado Apolo, natural de Alexandria, chegou a Éfeso. Ele era homem culto e tinha grande conhecimento das Escrituras. Fora instruído no caminho do Senhor e com grande fervor falava e ensinava com exatidão acer-

> ca de Jesus, embora conhecesse apenas o batismo de João. Logo começou a falar corajosamente na sinagoga. Quando Priscila e Áquila o ouviram, convidaram-no para ir à sua casa e lhe explicaram com mais exatidão o caminho de Deus.
>
> Atos 18:24-26

O impacto de Priscila e Áquila sobre Apolo foi dramático. Depois de algum tempo com eles, Apolo tornou-se ainda mais vigoroso. Lucas escreve: "Pois refutava vigorosamente os judeus em debate público, provando pelas Escrituras que Jesus é o Cristo" (v. 28). Deus usou o ministério desse casal para ajudar a treinar um dos primeiros grandes evangelistas cristãos.

Paulo menciona ambos Priscila e Áquila várias vezes em suas cartas. Ele inclusive coloca o nome de Priscilla antes de Áquila, o que era impensável na cultura judaica. As mulheres eram normalmente citadas depois dos homens. Isso nos mostra que Paulo tinha um grande respeito por ambos como seguidores de Cristo. Também nos mostra que os dois eram espiritualmente muito maduros.

Quantos casais você conhece que não estão nem perto do mesmo nível espiritual? Frequentemente um dos cônjuges é muito maduro e o outro, embora cristão, parece estar estacionado na pré-adolescência espiritual. Tal pessoa pode tornar-se resistente na relação do casamento, e é um grande obstáculo para a intimidade espiritual.

Use Priscila e Áquila como um exemplo do tipo de casal que você quer ser. Ore para que você e seu cônjuge cheguem ao mesmo estágio de desenvolvimento espiritual. Ore para que vocês amem a leitura da Bíblia, a oração e a adoração.

Ore para que seu casamento venha a impactar outros. Peça a Deus que os conduza a fortes comunidades cristãs onde vocês possam sentir-se responsáveis e sejam incentivados. Ore para que Deus os ajude permanecer espiritualmente estimulados e em desenvolvimento. Não se acomode com uma incompatibilidade espiritual. Ore para que vocês cresçam juntos espiritualmente, assim como Priscila e Áquila.

Hebreus 6:1 diz: "Portanto, deixemos os ensinos elementares a respeito de Cristo e avancemos para a maturidade." Ore este versículo pelo casamento. Peça a Deus para levar você e seu cônjuge à maturidade espiritual. Ore para que nenhum de vocês fique paralisado nos fundamentos espirituais. Peça a Deus para dar-lhes o desejo de crescer em maturidade espiritual.

Comece a orar por seu casamento

Ore para que você e seu cônjuge cresçam espiritualmente. Ore para que vocês dois amem a Deus com todo o coração, alma, mente e força.

O mais íntimo ato do casamento

Acredite ou não, o ato mais íntimo que um casal pode ter é a oração.

Jesus promete que, quando dois ou mais se reúnem em seu nome, ele se reunirá com eles (ver Mateus 18:20). Isso é uma promessa surpreendente dada a grupos de cristãos de todo tamanho. Mesmo que apenas dois de nós se reúnam em nome de Jesus, ele promete estar ali conosco.

O que aconteceria se você e seu cônjuge se reunissem com regularidade em nome de Jesus? E se você fizesse da oração uma parte de tudo o que faz? Quer dizer, orando não apenas para si, mas com o outro. Como as discussões sobre o orçamento seriam diferentes se vocês orassem juntos sobre seus recursos antes que conversassem sobre eles? Como as conversas evoluiriam de maneira diferente se vocês fizessem uma pausa para orar juntos antes de começar a compartilhar seus sentimentos? Qual seria a visão que seus filhos teriam da oração (e do casamento) se vocês constantemente orassem junto com eles? Como sua vida romântica seria diferente se vocês orassem juntos regularmente por um amor apaixonado e altruísta? A oração no casamento é um potente e ilimitado reforço da intimidade.

Susie e eu descobrimos o poder da oração como casal no início do relacionamento. Fizemos da prática de orar juntos um hábito, mesmo em nosso primeiro encontro. (Susie era a garota mais piedosa que eu já tinha conhecido. Eu sabia que ela me dispensaria em um instante se eu não orasse com ela!) Costumávamos orar para que Deus nos separasse se nos tornássemos muito focados em nós mesmos, ou se nosso relacionamento deixasse de honrá-lo. E aprendemos (dolorosamente) que Deus estava muito disposto a responder a essas orações. Como casal, vimos Deus responder a inúmeras orações específicas por nossa relação, por nossos filhos, nossos ministérios, nossas finanças, nossa saúde e nossas respectivas caminhadas com ele. Uma vez que estivemos dispostos a orar pelo casamento, Deus provou estar mais do que dispostos a responder às nossas orações com seu poder.

Você também pode conhecer o poder dele. Faça da oração uma parte de tudo aquilo que vocês realizam como casal. Tal prática irá ensiná-lo a expor sua alma diante de seu cônjuge. Mostrará a vocês como falar sobre todas as coisas — grandes ou pequenas — um com o outro e com Deus. E, acima de tudo, conduzirá vocês como um casal até a santa presença de Deus. Esse é o maior construtor de intimidade de todos.

Sei que alguns de vocês que nunca oraram juntos como casal acham que isso soa muito assustador e imponente. Mas não tem de ser assim. Aqui estão algumas dicas para orar em conjunto:

- Converse sobre isso primeiro. Se vocês não tiverem certeza do que fazer, decidam de antemão qual de vocês começará e terminará a oração.
- Deem as mãos e feche os olhos. Isso afastará as distrações e fará vocês se sentirem mais unidos.
- Sejam breves. Uma oração longa não é o mesmo que uma oração eficaz. Não tente orar por um determinado período de tempo. Basta dizer o que está em seu coração, mesmo que isso leve apenas alguns segundos.
- Não pregue nem critique. Não diga algo como: "Senhor, por favor, ajude meu cônjuge pagão a deixar de ser tão idiota!" Peça a Deus encorajamento e unção para a vida de seu cônjuge. Se ele ou ela precisa ser condenado por alguma coisa, deixe Deus fazê-lo. Esse não é seu trabalho.
- Agradeça a Deus por suas bênçãos. Expressar gratidão em oração é uma ótima maneira de unificar seus corações e ganhar perspectiva sobre o casamento. Certifique-se de agradecer por tudo que ele tem feito por você.

Ore poderosamente hoje

Aqui estão mais algumas formas de fazer da oração parte de sua rotina do casamento:

- Orem juntos antes das refeições.
- Orem juntos à noite, antes de irem dormir.
- Orem juntos pela manhã, antes de começar o dia.
- Se vocês têm filhos, orem juntos com eles.
- Ore com e por seu cônjuge quando ele ou ela estiver sofrendo ou em dificuldades.
- Orem juntos antes de começar um projeto de trabalho.
- Orem juntos sobre decisões importantes.
- Orem juntos antes de preencher o envelope com o dízimo à igreja. Peça a Deus para recebê-lo como seu ato de adoração.

Versículos para orar pela intimidade espiritual

- Mateus 18:20: *Pai, assim como meu cônjuge e eu nos reunimos em teu nome, por favor, estejas aqui conosco. Que nos vejas como teus submissos servos. À medida que nos aproximarmos de ti, aproxima-te de nós.*
- João 17:21: *Senhor Jesus, eu oro por meu casamento, assim como tu oraste por teus seguidores: faze-nos um. Que a nossa unidade e intimidade espiritual reflitam o amor e o compromisso que existem entre o Pai e ti.*
- Efésios 1:17: *Santo Deus, por favor, dá ao meu cônjuge e a mim um espírito de sabedoria e de revelação, para que possamos continuamente conhecer-te melhor.*

Uma oração pelo casamento

Santo Pai, tu és o meu Deus. Tu és o nosso Deus. Ambos entregamos nossas vidas a ti. Por isso, por favor, dá-nos um mesmo coração. Dá-nos unidade e intimidade espiritual. Oro para que meu cônjuge e eu sejamos espiritualmente maduros. Ajuda-nos a amar a tua Palavra, a oração, a adoração, e a odiarmos o pecado. Eu também oro para que continuemos a crescer espiritualmente. Por favor, continua tua santa obra em nós. Ajuda-nos a nunca nos contentarmos com menos do que tu pretendes. Dá-nos a relação espiritual com o outro que tu queres que tenhamos. Peço isso em nome de Jesus. Amém.

CAPÍTULO 6

DÊ A PREFERÊNCIA

EU ESTAVA ME DIVERTINDO MUITO. Foi uma pena que tivesse de terminar mais cedo.

Eu estava no quadragésimo quilômetro de um percurso de 64 quilômetros de bicicleta nas colinas a oeste de Austin. Era segunda-feira, 16 de abril de 2001, um dia após a Páscoa. Como parte de minha recuperação de um cansativo fim de semana de Páscoa, eu havia separado algumas horas extras para uma longa viagem. Estava esperando por um belo dia e um passeio revigorante. E não fiquei desapontado. O clima de primavera em Austin era lindo, e eu estava "na boa" de bicicleta. O passeio estava indo bem, e eu despontava para meu melhor tempo no desafiador percurso intensivo de montanha que eu tinha escolhido.

Quando eu disparei na descida em uma longa colina, me inclinei para a frente a fim de obter o máximo de velocidade possível. Eu estava descendo a cerca de trinta quilômetros por hora quando vi um brilho prateado à frente. Era um Mitsubishi Gallant. O motorista do carro, com 17 anos de idade, não me viu e virou à esquerda, arrancando diretamente na minha frente. Eu me lembro de ter visto o carro, apertar os freios, ouvir o estilhaçar do vidro, sentindo dois abalos violentos, e, em seguida, me ver caído na calçada com uma terrível dor no lado direito do quadril.

Eu havia atingido uma das portas traseiras, e a bicicleta estilhaçou o vidro. Ao que parece, minha cabeça foi arremetida e amassou o teto do carro antes que eu fosse lançado no ar. De acordo com testemunhas, eu dei duas ou três cambalhotas no ar antes de cair na calçada, a 13 metros do ponto de impacto. A queda basicamente deixou meu quadril em filetes.

Depois de prometer ao jovem e amedrontado motorista que eu não iria processá-lo (meu pai, advogado, disse que eu estava em estado de choque e não podia ser responsabilizado pela promessa), encorajei-o a ligar para a emergência. Colocaram um colar cervical em mim, fui imobilizado, e, em seguida, levado de ambulância para o hospital como paciente de trauma nível II. Os paramédicos estavam preocupados com ferimentos e hemorragia interna, bem como com lesões na cabeça e no pescoço. Meus ferimentos limitavam-se a inúmeros cortes e arranhões (um pedaço de vidro saiu da minha perna seis meses após o acidente) e, de certa forma, um buraco no quadril. Rendo a Deus, a algumas dezenas de anjos e a um bom capacete, o crédito por ter passado por essa relativamente incólume.

A lesão real, no entanto, ocorreu com Susie. É difícil explicar o trauma de receber a ligação de um paramédico contando de seu cônjuge. Disseram a Susie que eu tinha sofrido um acidente, mas que estava bem. Disseram-lhe para esperar a ambulância no pronto-socorro. Ela, obviamente, não estava preparada para o que viu — o marido imobilizado, sangrando da cabeça aos pés, com a camiseta e o calção de ciclismo esfarrapados, amarrado a uma maca e tomando soro por via intravenosa. Vamos apenas dizer que isso não gerou muita confiança em Susie acerca de minhas habilidades como ciclista ou da segurança do esporte que eu tanto amava. Quando me viu, ela logo sentiu esperança e orou para que eu nunca mais voltasse a subir em uma bicicleta.

Eu, por outro lado, estava calculando o quão agradável seria a nova bicicleta que eu poderia adquirir com o pagamento do seguro. E isso, naturalmente, levou a um conflito.

Aprendendo a ceder

O que você deve fazer quando os cônjuges se sentem igualmente resolutos quanto a um ponto de vista antagônico? Como se resolve o conflito? Em nosso caso, Susie tomou uma decisão que me humilhou e que eu ainda admiro: ela cedeu. Ela contou como se sentia, orou para que Deus me desse sabedoria para tomar a decisão certa e então me disse para fazer o que eu achava correto. Foi uma resposta incrivelmente madura de sua parte e me fez pensar muito sobre a decisão de voltar a andar de bicicleta.

Então, o que aconteceu? Eu comprei uma bicicleta de última geração com o dinheiro que recebemos do seguro. No primeiro passeio depois do acidente, eu quase sofri dois acidentes com carros. Além disso, a visão do asfalto a mais de trinta quilômetros por hora, na verdade, passou a causar-me náuseas. (Susie nunca confessou orar por essa náusea, mas continuo desconfiado.) Devolvi a bicicleta para a loja e recebi o dinheiro de volta. Parei de andar e desde então não voltei a pedalar, e Deus honrou a decisão.

"Você primeiro." "Não, você primeiro." "Não, eu insisto; você primeiro."

Se você frequenta a igreja há muito tempo ou passou longos períodos lendo a Bíblia, já deve ter encontrado os ensinamentos de Paulo sobre o casamento, em Efésios 5. Para os homens de Éfeso, ele escreveu: "Maridos, ame cada um a sua mulher, assim como Cristo amou a igreja e entregou-se por ela" (Efésios 5:25). E para as mulheres: "Mulheres, sujeite-se cada uma a seu marido, como ao Senhor" (v. 22). Eu sempre achei interessante que a ordem para as mulheres recebe muito mais tempo e atenção do púlpito do que a ordem dada aos homens. Talvez seja porque a maioria dos púlpitos seja ocupada por homens. Ou pode ser por causa da famosa palavra que começa com *s* — sujeitar-se, ou submeter-se.

Não há dúvida de que essas duas ordens, e especialmente a das mulheres, são mencionadas com frequência, citadas erroneamente e mal-aplicadas. Mas eu me pergunto se você já notou ou aprendeu o significado do versículo que precede os ensinamentos de Paulo sobre o casamento em Efésios: "Sujeitem-se uns aos outros, por temor a Cristo" (v. 21). Eu mencionarei esse versículo várias vezes no restante do capítulo, de forma que você poderia muito bem se adiantar e memorizá-lo. Aqui vai mais uma vez: "Sujeitem-se uns aos outros, por temor a Cristo."

Vamos considerar esse versículo em meio ao fluxo de pensamento do escritor. Veja Efésios 5:17-20:

> Não sejam insensatos, mas procurem compreender qual é a vontade do Senhor. Não se embriaguem com vinho, que leva à libertinagem, mas deixem-se encher pelo Espírito, falando entre

> vocês com salmos, hinos e cânticos espirituais, cantando e louvando de coração ao Senhor, dando graças constantemente a Deus Pai por todas as coisas, em nome de nosso Senhor Jesus Cristo.

Nesses versículos, Paulo instrui os cristãos sobre o impacto que seguir a Cristo deve ter em nossas vidas. Ele dá orientações gerais que cada um de nós deve respeitar. Primeiro, diz que devemos entender qual é a vontade de Deus para nossas vidas. Em segundo lugar, ordena-nos a ser cheios do Espírito Santo de Deus. Se estamos cheios do Espírito dele, iremos viver, amar e servir como é necessário. Terceiro, Paulo nos manda falar a verdade bíblica uns para os outros e ter corações gratos e em adoração.

Depois de oferecer essas instruções, o apóstolo está pronto para falar sobre nosso papel no casamento. Em vez de saltar diretamente para o tema do matrimônio, no entanto, Paulo acrescenta uma importante declaração de transição. Sob a orientação do Espírito Santo, Paulo resume com maestria os ensinamentos que acaba de dar e, ao mesmo tempo, introduz o tema de que deseja ocupar-se. Aqui, mais uma vez, está a majestosa declaração: "Sujeitem-se uns aos outros, por temor a Cristo."

Com apenas cinco palavras gregas, Paulo dá uma ordem que nivela o campo de jogo para todos os cristãos. Aplica-se aos senhores e escravos, pais e filhos, patrões e empregados, executivos e administradores, homens e mulheres, maridos e esposas. Paulo não hesitou em ensinar sobre os respectivos papéis que temos na vida e ao seguir a Cristo, ou sobre as diretrizes de autoridade que Deus estabelece em nossos relacionamentos, mas queria que esses papéis fossem entendidos à luz de sua ordem para cedermos um ao outro em amor.

Vamos estabelecer uma definição simples, trabalhando com princípio da submissão recíproca que Paulo defendia nas relações cristãs: *ceder deliberadamente coloca as necessidades de outra pessoa antes das próprias, ao ver a outra pessoa como mais importante que você e buscar primeiramente o bem-estar dela.* A submissão mútua ocorre quando cada seguidor de Cristo em um relacionamento ou grupo escolhe ceder às necessidades dos outros.

Aplicado ao casamento, a submissão mútua honra, exalta e coloca o cônjuge em primeiro lugar. Tal submissão vê as necessidades do cônjuge como prioridades. E, a propósito, é quase impossível fazer isso de forma consistente sem a oração.

Comece a orar por seu casamento

Ore por um coração humilde para com seu cônjuge. Peça a Deus para ajudá-lo a colocar a ele ou a ela à frente com alegria.

Um tópico controverso

Pouco tempo atrás, eu estava na sauna, conversando com um *personal trainer* que trabalha no lugar onde eu faço exercícios. Nós nos tornamos amigos ao longo dos anos. Ele costuma me dar dicas de graça para solucionar meus problemas físicos (ele vê que preciso quando olha para mim), e eu, muitas vezes, lhe dou conselhos espirituais. Nosso último encontro não foi exceção. Depois que meu amigo me ofereceu algumas dicas para melhorar meu treino de natação, perguntei sobre seu casamento. Ele me contou de um empreendimento que sua esposa estava considerando. Receava que ela não fosse bem-

-sucedida e que poderiam perder dinheiro no negócio. Ele então perguntou o que eu achava. Depois de fazer algumas perguntas exploratórias, dei ao meu amigo o seguinte conselho: "Conte a ela suas preocupações. Seja autêntico com ela e, então, ceda. Apoie totalmente a decisão dela. E, se o empreendimento falhar, não diga: 'Eu avisei'."

A submissão mútua pode realmente funcionar no casamento? Homens e mulheres podem mesmo aprender a ceder um ao outro como resultado de seu temor a Cristo? Há momentos em que os maridos ou esposas precisam ceder aos cônjuges, mesmo que isso não faça nenhum sentido para eles? A resposta a cada uma dessas questões, de acordo com a Bíblia, é um retumbante sim! A consideração mútua não elimina nossos papéis no casamento e, certamente, nem sempre é fácil. Mas, quando se está agindo em um matrimônio, fazer isso pode produzir um aumento do amor e da confiança entre os cônjuges e aumentar a fé do casal em Deus.

Comece a orar por seu casamento

Ore para que tenha suficiente fé para deixar Deus lidar com as implicações das decisões de seu cônjuge, incluindo aquelas que sejam ruins.

A submissão mútua no casamento

Você está confuso? Será que você se identifica com o conceito de submissão mútua no casamento? Como seu relacionamento seria diferente se você e seu cônjuge orassem Efésios 5:21 todos os dias pelo casamento? Você está pronto para começar a orar para que você e seu cônjuge mutuamente se submetam um ao outro?

Vamos falar sobre o que é ou não é ceder no casamento, para que possamos, assim, orar de forma mais eficaz a respeito. Vamos começar com o que a submissão mútua não é.

A submissão mútua não é um conceito do tipo "você ganha, eu perco". Não há ganho ou perda quando cristãos se submetem um ao outro. Jesus não perdeu quando obedeceu ao Pai, se sujeitou às nossas necessidades e morreu por nossos pecados. Obediência nunca é perda. Submeter-se ao cônjuge não é perder ou desistir. É obediência a Deus. Quando somos obedientes à liderança a Deus, todo mundo ganha.

A submissão mútua não é uma confissão de "eu não tenho valor". Sujeitar-se no casamento não é uma concessão ao cônjuge superior. Não flui de uma baixa autoestima e de uma mentalidade de "capacho". Submeter-se é a escolha amorosa de elevar seu companheiro e diminuir a si mesmo. Não tem nada a ver com a posição de um dos cônjuges em relação ao outro.

A submissão mútua não é admitir que "você está certo e eu estou errado". Embora certamente existam momentos no casamento quando precisamos admitir nossa culpa ou erro e buscar o perdão do cônjuge, isso não é o mesmo que ceder em uma questão. Um cônjuge que protela pode sentir-se fortemente certo sobre sua posição acerca de uma questão e ainda optar por ceder. Sujeitar-se no casamento não requer um veredito certo ou errado. É mais uma questão de quem Deus imagina que deveria adiar uma dada situação.

Quando eu cogitei comprar a bicicleta nova, Susie queria muito que eu nunca mais voltasse a pedalar. Esses sentimentos eram lógicos e muito justificados. Quando escolheu ceder à minha vontade, seja como for, acima e contra seu melhor juízo, ela não estava dizendo que concordava comigo. Estava reconhecendo que Deus a levou a capitular nesse caso particular.

A submissão mútua não é um consentimento forçado à outra vontade. Eu preciso ser muito claro sobre isso. Muitas mulheres são levadas a acreditar que deveriam submeter-se ao marido, não importa qual seja o assunto. Ensinaram-lhes que a submissão significa tolerar abuso verbal, físico ou sexual, e não "se queixar" do hábito do marido de assistir a pornografia, ou de sua presença em clubes de *striptease*, ou apenas "perdoar" seu estilo de vida mulherengo. Submissão não é isso. As esposas que aturam esse tipo de comportamento irresponsável dos maridos estão, de fato, permitindo e, na verdade, contribuindo para esse estilo de vida disfuncional. Ao olhar para o outro lado enquanto seu marido destrói a si mesmo e seu casamento é tolerar silenciosamente seu pecado, negar a Palavra de Deus em sua vida e desvalorizar quem você é em Cristo.

Eu aqui não estou lhe dando permissão para marchar até o tribunal e pedir o divórcio. Longe disso. Estou, sim, encorajando-a a exigir de seu marido que viva de acordo com os padrões básicos de comportamento aceitável em um casamento cristão. Se ele não puder ou não quiser, procure em seguida a ajuda de um pastor ou conselheiro cristão e descubra como confrontar amorosamente seu marido sobre o comportamento inaceitável. Submeter-se como esposa ou ceder como cônjuge cristão não tem nada a ver com medo, intimidação, ameaças ou tolerar um comportamento indesculpável e ímpio.

A submissão mútua não busca vingança. Não há reciprocidade em ceder. Mesmo que ambos os cônjuges sejam ordenados a ceder, você deve fazê-lo, independentemente de seu cônjuge fazê-lo ou não. Deixe Deus lidar com seu cônjuge sobre a falta de obediência a ele. Submeta-se porque isso é correto, bíblico, e é o que Deus espera. Procure maneiras de ceder ao seu cônjuge, mereça ele ou não.

Agora que já vimos o que a submissão mútua não é, vamos nos focar no que ela é.

A submissão mútua deixa de lado, de bom grado, os próprios desejos para satisfazer as necessidades do cônjuge. Ceder é um dom de amor no casamento. Você o oferece porque ama Cristo e quer honrar seu companheiro. Quando você cede, mostra ao seu cônjuge que amar e servir a ele, naquele momento, é mais importante do que satisfazer suas próprias necessidades ou promover seus próprios planos.

A submissão mútua escolhe andar em unidade com seu cônjuge, em vez de impor sua própria vontade. Quando você se submete, sabe que não tem de estar sempre certo. Você pode optar por ceder simplesmente porque não vale a pena brigar sobre o assunto em questão. Quando possível, a unidade é uma escolha muito melhor do que o conflito. Ceder mostra ao seu cônjuge que você nem sempre está disposto a conseguir o que quer.

A submissão mútua é a escolha de deixar de lado o que é melhor para você e escolher o que é melhor para o casamento. Por trás de ceder há uma mentalidade de responder à pergunta: "O que é melhor para nós?" Às vezes você será levado a ceder para o bem do casamento, e não apenas para o bem de seu cônjuge.

Há pouco tempo, tive a chance de fazer isso em meu casamento. Susie e nossos filhos estavam todos indo viajar no recesso escolar de primavera. Nossa igreja estava em uma missão no Mississippi, na mesma semana, e eu realmente queria ir. No entanto, Susie esperava que eu ficasse em Austin e "vigiasse o castelo". Você sabe, olhar a casa e cuidar dos pássaros, do gato e de dois cães, que chamamos de família. Eu sou uma opção muito mais barata do que pagar alguém para cuidar da casa. Posso garantir, não houve nenhuma discussão sobre como eu queria passar meu tempo. Eu amo missões e tenho relações estreitas com as pessoas a que estávamos indo servir. Mas, nesse caso, o que era melhor para mim não era o melhor para nós, por isso eu cedi. Fiquei em casa com os animais. Era a coisa certa a fazer.

A submissão mútua é a escolha de não exercer status ou autoridade quando é possível. Isso é especialmente importante para todos os maridos que pensam que submissão significa ter a palavra final em todas as questões do casamento. Só porque seu papel pode colocá-lo em uma posição de autoridade e fazer com que preste contas a Deus pelo bem-estar espiritual de sua família, isso não significa que você tem o direito de colocar em ação seus músculos de liderança em todas as circunstâncias do casamento. A beleza e o poder da submissão mútua é que esse status e os direitos individuais dão lugar ao amor, ao desejo de servir o outro e à humildade.

Uma oração que mudará seu casamento

Está pronto para começar a orar pela orientação de Efésios 5:21 para seu casamento? Mais especificamente, você estaria disposto a começar a orar apenas para si mesmo, independentemente de como seu cônjuge age? Orar esse versículo pode ter um impacto profundo sobre o casamento. Aqui estão algumas coisas pelas quais orar quando se busca uma união mutuamente submissa:

- *Ore para ser preenchido pelo Espírito Santo.* Continuamente peça a Deus para encher você e seu cônjuge com o seu Espírito (ver Efésios 5:18). Conforme você cede cada vez mais e, subsequentemente, fica cada vez mais pleno do Espírito de Jesus, se tornará mais natural para você submeter-se ao seu cônjuge no casamento.

- *Ore por um espírito voluntário.* Supõe-se que a submissão mútua seja voluntária, e não forçada, coagida, ou até mesmo relutante. Resmungar enquanto se submete não conta! Ore para que você possa submeter-se prontamente e com alegria.
- *Ore para que você e seu cônjuge reverenciem a Cristo.* A submissão mútua é motivada pelo desejo de honrar e amar Jesus. Nós não nos sujeitamos a nossos cônjuges porque eles ganharam ou porque achamos que nos irão retribuir. Submetemo-nos para honrar a Jesus. Submetemo-nos aos outros porque Cristo submeteu-se a nós. Qualquer indisposição em submeter-se ao cônjuge quando Jesus está conduzindo você é sinal de um colapso em sua obediência a Cristo. Ore para que você e seu cônjuge ponham em prática a obediência, para imediata e voluntariamente cederem às necessidades do outro.

Comece a orar por seu casamento

Ore Efésios 5:18-20 por seu casamento:

Senhor, ajuda-nos a não nos embriagarmos com vinho, mas que sejamos preenchidos com o teu Espírito Santo. Ensina-nos a falar um ao outro com salmos, hinos e cânticos espirituais, para que cantemos e façamos música em nossos corações para ti, e para sempre agradecer-lhe por tudo, em nome de nosso Senhor Jesus Cristo.

Orando pela facilidade em sujeitar-se

Mais uma vez, nosso melhor exemplo de como agir em união vem do Senhor Jesus. Ele é o modelo final para cedermos a nossos cônjuges. Considere estas palavras inspiradas:

> Seja a atitude de vocês a mesma de Cristo Jesus, que, embora sendo Deus, não considerou que o ser igual a Deus era algo a que devia apegar-se; mas esvaziou-se a si mesmo, vindo a ser servo, tornando-se semelhante aos homens. E, sendo encontrado em forma humana, humilhou-se a si mesmo e foi obediente até a morte, e morte de cruz! Por isso Deus o exaltou à mais alta posição e lhe deu o nome que está acima de todo nome, para que ao nome de Jesus se dobre todo joelho, nos céus, na terra e debaixo da terra, e toda língua confesse que Jesus Cristo é o Senhor, para a glória de Deus Pai.
>
> Filipenses 2:5-11

Essa passagem pinta um retrato de Jesus esvaziando-se de todos os seus direitos e privilégios divinos para que se tornasse humano. Ele anulou a divindade e abraçou a humanidade para que pudesse morrer — especificamente para que pudesse morrer por você e por mim. Não há melhor exemplo de uma pessoa sujeitando-se por outra. Você entendeu o comentário de abertura de Paulo na passagem acima? "Seja a atitude de vocês a mesma de Cristo Jesus." Ele nos diz que devemos tratar os outros da mesma forma como Jesus nos trata. Orienta-nos a esvaziar-nos de nossos supostos direitos tal como Jesus o fez.

Não há lugar melhor para a prática dessa mentalidade de Jesus do que no casamento. Ore por uma atitude como a de

Jesus. Ore para que você voluntariamente se torne menos importante (ver João 3:30). Peça a Deus para ajudá-lo a pôr de lado o que você percebe serem seus direitos e privilégios e para pensar em seu cônjuge da maneira como Jesus pensa em você. Ore por um coração humilde e por um espírito submisso.

Ore poderosamente hoje

- Ore por oportunidades para colocar as escolhas e necessidades de seu cônjuge antes das suas próprias.
- Ore por maneiras de servir ao seu cônjuge. Peça a Deus para dar-lhe oportunidades para lavar os pés dele ou dela.
- Ore para que você respeite e estime seu cônjuge. Ore por formas de afirmar isso a ele ou ela, tanto de maneira pública como privada.
- Ore por desejos adequados e saudáveis para seu cônjuge. Ore por um desejo de satisfazer as necessidades físicas e sexuais dele ou dela.
- Peça a Deus para ajudá-lo a ver seu cônjuge como um dom de Deus. Ore para que você abrace livremente a ele ou a ela como criação de Deus, e aceite que Deus está fazendo com que ele ou ela esteja em Cristo. Ore por maneiras de mostrar ao seu cônjuge que você o(a) ama e o(a) aceita incondicionalmente.
- Ore todos os dias por seu cônjuge. Interceda para sua saúde, prosperidade, relacionamento com Cristo, carreira e relacionamento com você.

Versículos sobre submissão para orar por seu casamento

- Efésios 5:21: *Pai, eu oro para que meu cônjuge e eu venhamos a nos apresentar um ao outro no temor a ti.*
- Romanos 15:2: *Senhor, ajuda-nos a promover o bem e edificarmos um ao outro.*
- Filipenses 2:3-4: *Pai, eu oro para que eu não faça nada por ambição egoísta ou por vaidade, mas que humildemente pense mais em meu cônjuge do que em mim mesmo. Ajuda-me a olhar não só para os meus próprios interesses, mas também para os de meu cônjuge.*

Uma oração pelo casamento

Pai santo, eu te amo e te louvo. Obrigado por minha esposa. Obrigado por teres me dado este presente. Obrigado por colocá-la em minha vida para que eu possa servi-la, aceitá-la e abraçá-la livremente. Ajuda-me a tratá-la como tu me tratas. Deus, por favor, dá-me o dom de tornar-me humilde. Mostra-me como acatar minha esposa, ceder a ela e submeter-me a ela. Por favor, quebra meu orgulho e minha necessidade de estar sempre certo. Dá-me discernimento para saber quando ceder à minha esposa nas decisões e escolhas que afetam nossas vidas. Ajuda-me a procurar maneiras de servi-la e elevá-la acima de mim mesmo. Ensina-me, precioso Salvador, a sujeitar-me a ela, reverenciando a ti. Eu oro por isso no santo nome de Jesus. Amém.

CAPÍTULO 7

COMO ORAR POR SEU MARIDO

JIM E NELL HAMM, DUAS SEMANAS ANTES DE completarem cinquenta anos de casados, estavam desfrutando de uma de suas frequentes caminhadas no parque estadual Prairie Creek Redwoods, no norte da Califórnia. Jim, de setenta anos, e Nell, de 65, descobriram que as caminhadas eram uma ótima maneira de desfrutar da companhia um do outro e de se exercitar ao mesmo tempo. Mas, em 28 de janeiro de 2007, seu rotineiro passeio tornou-se trágico. Um leão da montanha, repentina e violentamente atacou Jim, mantendo sua cabeça presa entre as mandíbulas. Nell, mantendo a lucidez e com raciocínio rápido, pegou um pedaço de madeira e começou a bater na cabeça do animal. Vendo que isso não teve efeito aparente sobre o leão, Nell pegou a caneta esferográfica do bolso de Jim e começou a golpear o olho do animal. Ela atingiu o felino com tanta força que a caneta praticamente se partiu em duas, mas o animal enfurecido mesmo assim não soltou Jim. Como último recurso, Nell novamente pegou o pedaço de madeira e atacou o felino. Após vários minutos de uma intensa batalha, o felino soltou Jim, encarou Nell, e, em seguida, virou-se e foi embora.

Jim sobreviveu ao ataque, e Nell foi aclamada heroína e responsável por salvar a vida do marido. Jim, recuperando-se no hospital, falou da coragem da esposa: "Ela ficou lá o tempo todo. Se não tivesse ficado, eu teria... sem dúvidas... eu teria partido." Nell foi rápida em descartar os créditos de qualquer ação heroica de sua parte: "O pessoal falou em heroísmo", disse ela. "Não é nada disso. Nós nos amamos muito... e apenas lutamos juntos da mesma maneira que fazemos tudo juntos."[1]

Senhoras, neste capítulo, eu estou lhes pedindo para lutarem por seus maridos. Estou pedindo para você batalhar contra as forças de nossa cultura que estão bem posicionadas para destruir a vida dos homens. Estou lhes pedindo para não serem ingênuas quanto às batalhas, e seus motivos, que seu marido enfrenta dia a dia para estar ao seu lado. Quero que você obtenha uma visão do tipo de homem que seu marido pode se tornar. Quero que você ore pela imagem do que Deus quer para seu marido e, em seguida, ore para que essa imagem se torne realidade. Estou lhe pedindo para que se torne a fã número um, o porto seguro e, acredite, o mais importante, para que seja a intercessora de seu marido. Você não pode mudar seu marido; a oração, sim.

Escolha um exemplo bíblico e ore

Orar por seu marido não precisa ser difícil. A Bíblia está repleta de grandes exemplos de homens que você pode orar pedindo que seu marido imite. Basta encontrar personagens bíblicos que manifestaram as características piedosas e santas que você deseja ver na vida de seu marido, e, em seguida, comece a orar para que ele tenha as mesmas características. Use as Escrituras como guia.

Seu marido precisa de mais fé? Ore por meio de Hebreus 11 e peça a Deus para dar-lhe a fé de Noé, de Abraão ou de Moisés. Será que ele precisa ser mais obediente? Ore para que ele seja como Pedro, André, Tiago e João, que largaram suas redes e imediatamente obedeceram ao chamado de Jesus (ver Mateus 4:18-22). Seu marido está familiarizado com a Bíblia? Ore para que ele seja como Apolo, a quem Lucas descreveu como "culto e [que] tinha grande conhecimento das Escrituras" (Atos 18:24).

Ore para que seu marido tenha a sabedoria de Salomão (ver 1Reis 3:10-12) e a coragem de Jeremias (ver Jeremias 1:17-19). Ore para que ele seja tão ousado como Paulo (ver Efésios 6:19-20) e tão generoso como Barnabé (ver Atos 4:36-37). Peça a Deus para dar ao seu marido uma dedicação como a de Davi, que era um homem segundo o coração de Deus (ver 1Samuel 13:14). Conforme você se familiarizar com o que significa fazer uma oração específica e orar as Escrituras, encontrará outros personagens bíblicos e orará para que seu marido possa imitá-los.

Comece a orar por seu casamento

Ore 1Crônicas 12:8 por seu marido:

Senhor, por favor, faça do meu marido um poderoso homem de Deus.

O melhor modelo para seu marido

Você nunca fará melhor do que Jesus. Sem exceção, ele é o melhor exemplo de um marido amoroso e carinhoso. Da mesma forma que Jesus ama, conduz e atende à sua noiva, a Igreja, ore para que seu marido ame, conduza e atenda a você. Não ore dessa maneira apenas em benefício próprio. Seu marido será mais frutífero e realizado à medida que obedecer ao chamado de Deus. Ore para que a alegria dele seja completa à medida que ele conduz, ama e lhe atende como Jesus o faz.

Seu marido não é perfeito. Ele não será a pessoa perfeita que Jesus é. Mas pode ser semelhante a Cristo. Então, ore para que seu marido seja como Jesus enquanto estiver desempenhando a função dada por Deus de ser seu marido. Vejamos o exemplo perfeito de Jesus e como você pode fazer orações específicas poderosas por seu marido.

Em sua sublime passagem sobre os papéis de maridos e esposas em Efésios 5, o apóstolo Paulo ordenou aos maridos amarem suas esposas da mesma forma que Jesus ama a Igreja (v. 25). Paulo apresentou Jesus como o exemplo máximo de um marido amoroso e atencioso e instruiu os maridos a voltar os olhos para Jesus como seu modelo de casamento. À luz dessa orientação, aqui estão algumas orações específicas que você pode fazer por seu marido enquanto ele procura cumprir sua atribuição dada por Deus.

Ore para que ele seja um grande intercessor. Jesus foi um homem de oração. Na verdade, foi o maior modelo de intercessor que já viveu. Você pode pensar que foi fácil para Jesus ter uma vida santa e amar os pecadores, porque ele era o Filho de Deus. Mas, na realidade, tudo o que Jesus fez — amar, perdoar, curar, ensinar e mudar o mundo — foi sob forma totalmente humana. A oração fez a diferença para Jesus. Ele viveu uma vida ungida pelo poder do Espírito de Deus nele e alimentou o fogo do Espírito de Deus através da oração. Se você quer que seu marido viva como Jesus, peça a Deus para ajudá-lo a aprender a orar como Jesus orou.

Hebreus 7:25 nos diz que Jesus está orando por nós agora no céu. Ele intercede sempre diante do Pai em nosso nome. Ele ora por nós porque nos ama e vê a oração como parte de seu dever como marido amoroso. Adoro saber que meu Salvador vive para interceder e buscar o melhor de Deus para mim. Adoro saber que ele me ama o suficiente para orar por mim. Você se sentiria diferente em relação ao seu marido se soubesse que ele orou por você todos os dias? Você se sentiria mais segura no relacionamento e mais amada por ele? Comece orando por ele. Ore para que se sinta levado a interceder por seu casamento.

Começar a orar por isso pode parecer estranho. Você pode estar pensando: "Isso não é um desperdício de tempo? Por que eu deveria me esforçar tanto para orar a fim de que o meu marido ore? Eu quero que ele me ajude compartilhando o carro. Preciso que ele seja mais produtivo em casa. Quero que ele aprenda a se comunicar melhor. Eu não deveria estar orando mais por essas coisas? Qual é o sentido de orar para que meu marido seja um grande intercessor?"

Estou feliz por você ter perguntado. Aqui estão cinco razões para orar acerca disso:

1. *A oração o fará amar Jesus mais profundamente.* Homens que oram são homens que se apaixonam por Jesus. Esse é o resultado inevitável e feliz do tempo gasto em oração — você aprende a amar Jesus. Se seu marido ama Jesus, ele será um marido, pai, amigo, profissional e cristão melhor. Se seu marido amar a Jesus mais profundamente, ele a amará mais profundamente.
2. *A oração o tornará mais gentil.* A oração quebra o orgulho de um homem e lhe dá uma perspectiva sobre

si mesmo. Apara arestas. A oração é a incubadora da semelhança a Cristo para todo cristão. Homens que oram aprendem a controlar seu temperamento e apresentam suas emoções a Cristo. Você quer ter um marido gentil? Ore para que ele seja um homem de oração.

3. *A oração o tornará mais indulgente.* A oração libera o perdão. Através da oração, os homens de Deus confessam seus pecados e, em troca, encontram graça e misericórdia. Ao orar, eles aprendem a ser perdoados e a perdoar. Em Lucas 7, Jesus disse a Simão, o fariseu, que os homens que foram muito perdoados muito amaram (v. 47). Simão, que ainda não tinha percebido sua própria necessidade de perdão, não sabia como amar a outro pecador. Orando e confessando, os homens o conseguem. Quando seu marido ora e confessa, recebendo o perdão de Deus, ele também aprenderá a expandir esse perdão.
4. *A oração o ajudará a odiar o pecado.* A oração e o pecado são contrários. Eles não coexistem bem. Um coração que negligencia a oração naturalmente se desvia para o pecado; um coração que ora o odeia. A oração se origina na alma de um homem e expõe o que está lá. Em momentos de calma, de oração e de reflexão de um homem, o Espírito Santo encontrará um coração macio e maleável. O Espírito pode facilmente revelar ao homem que ora se a luxúria, o medo, a raiva, o orgulho, a insegurança, o ciúme, o ódio, a dúvida, a teimosia, o egoísmo, a amargura e o ressentimento estão residindo em seu coração.

Deus lança "emboscadas santas" para o homem enquanto ele ora. Se você quer que seu marido odeie o pecado, ore por sua vida de oração.

5. *A oração mostrará um rumo ao seu marido.* Jesus encontrou orientação na oração. Ele sabia quando ficar em um povoado e quando seguir em frente. Sabia quando investir seu tempo na cura dos doentes e quando se afastar e descansar com os discípulos. Jesus também encontrou forças para enfrentar a cruz e suportar seu sofrimento, e fez isso através da oração. Homens que oram acabarão por descobrir seu rumo na vida. Eles terão um sentido claro de direção e propósito e normalmente terão a disciplina espiritual para não se desviar deles. Homens que oram são homens bem conduzidos — são conduzidos pelo Espírito Santo. Conforme seu marido se tornar um homem de oração, ele ficará mais bem preparado para discernir para onde Deus o está conduzindo.

Você tem fé para orar sobre a vida de oração de seu marido? Está disposta a liberar seu marido para Jesus e dar tempo ao Espírito Santo para realizar sua obra na vida de seu marido? Orar para que seu marido seja um poderoso homem de oração transformará vocês dois. Comece pedindo isso a Deus hoje. Você tem tudo a ganhar e nada a perder.

Comece a orar por seu casamento

Ore Colossenses 4:2 por seu marido:

Senhor, por favor, ajuda meu marido a dedicar-se à oração.

Ore para que ele seja um grande líder. Jesus é o líder supremo e digno de confiança. Ele nunca nos engana ou nos põe em uma situação com a qual não possamos lidar. Ele sabe como é difícil impulsionar seus seguidores e sabe quando desacelerar e dar-lhes tempo para se recuperar. Jesus sabe como inspirar visão e nos motivar a grandes coisas.

Ore para que seu marido lidere como Jesus. Ore para que seja sábio e perspicaz. Peça a Deus para ajudá-lo a tomar boas decisões e ser um mordomo de confiança do manto da liderança que Deus lhe deu.

Certa vez conversei com uma mulher cujo marido tinha tomado tantas decisões ruins profissionais que ela começou a sentir que estava sendo irresponsável em continuar a segui-lo. Ela estava aos poucos começando a tomar as rédeas da liderança em sua casa porque, aos seus olhos, o marido tinha claramente se desqualificado. Ela basicamente tinha desistido e não estava orando por ele. Embora eu não a culpe pelo ceticismo, a verdade é que ela não só estava discretamente usurpando sua autoridade em casa, mas também estava duvidando de que Deus, em última análise, proveria para suas necessidades.

Comece a orar por seu casamento

Ore Mateus 11:28-30 por seu marido:

Pai, ajuda meu marido a liderar como Jesus. Torna-o sábio, piedoso, e fácil de seguir. À medida que eu for submissa a ele, que eu possa ser feliz e encontrar descanso para minha alma.

Ore para que ele ame muito. Ao ler Efésios 5:25, torna-se óbvio que o amor é a principal motivação de Cristo como marido da Igreja: "Maridos, ame cada um a sua mulher, assim como Cristo amou a igreja." Cada palavra que Cristo fala, cada ordem que ele lança e cada ação que adota a favor de sua noiva é impulsionada por amor. Ele não sabe como responder por ganância ou egoísmo; Cristo conhece tudo sobre a calorosa dedicação por sua noiva.

Ore para que seu marido tenha o tipo de amor que Jesus tem. Ore para que seja motivado a tratá-la segundo seu grande amor por você. Peça a Deus para dar-lhe o mesmo amor incondicional por você que Jesus tem por sua Igreja.

Vi um grande exemplo deste tipo de amor em um de meus professores de doutorado. Ele era um missionário aposentado que ensinou jovens aspirantes a ministros sobre a oração e disciplinas pessoais. Ele exercia um ministério muito eficaz no campus do seminário quando a sua esposa, com quem era casado havia vários anos, foi acometida de uma terrível doença degenerativa.

No início, meu professor foi capaz de continuar dando aulas e ainda prestar assistência adequada à esposa. Mas, depois de alguns anos, a condição dela piorou tanto que ele de fato se aposentou para cuidar dela em tempo integral. Poucos anos depois, a esposa ficou tão doente e dependente de cuidados que teve de ser colocada em uma clínica de repouso. Meu professor, não querendo abandoná-la em seu momento de maior desespero, vendeu a casa e se mudou para a clínica de repouso com ela. Ele era um homem plenamente saudável, ágil e funcional, muito capaz de ainda ser extremamente produtivo, que sentiu que era seu dever dado por Deus ficar ao lado de sua esposa. E fez isso por vários anos até que ela morreu.

Poucos homens ou mulheres podem manter esse nível de amor e compromisso sem Cristo. Eu certamente não posso. Mas, com Cristo, homens pecadores e comuns como eu estão preparados para amar suas esposas com o mesmo tipo de paixão, fidelidade e tenacidade que Jesus demonstra por nós. Ore por seu marido. Ore para que ele a ame como Jesus a ama.

Comece a orar por seu casamento

Ore Mateus 1:19 por seu marido:

Senhor, concede ao meu marido um coração como o de José. Torne-o um homem justo que sempre deseje me tratar nobremente.

Ore para que ele seja um grande provedor. Jesus sabe como suprir as necessidades. O amor e a paixão dele por sua noiva motivarão você a suprir sempre suas necessidades. Ele possui um espírito naturalmente generoso. Um dos nomes de Deus no Antigo Testamento é Jeová-Jiré, o Senhor que provê (ver Gênesis 22:13-14). Jesus tornou-se a provisão final de Deus para nós quando morreu por nossos pecados. Paulo, refletindo sobre o caráter da provisão de Deus, prometeu aos cristãos de Filipos: "O meu Deus suprirá todas as necessidades de vocês, de acordo com as suas gloriosas riquezas em Cristo Jesus" (Filipenses 4:19).

Você quer fazer uma oração poderosa por seu marido? Ore para que ele leve a sério a atribuição dada por Deus para sustentar sua família. Isso não quer dizer que seu marido tenha de ser o único ou mesmo o principal provedor em sua casa. Isso significa que é responsabilidade dele garantir que as necessidades da família sejam satisfeitas. O Senhor Jesus age de diversas maneiras — humanas e divinas — para prover as necessidades da sua Igreja. Você e seu marido podem acordar suprir as necessidades da família através de sua renda ou da dele, ou através de uma combinação das duas. Deus não impõe o método. Ele manda que o marido leve a sério seu papel de provedor e que aqueles sob seus cuidados sejam bem alimentados, protegidos, vestidos e educados (ver 1Timóteo 5:8).

Quando Jesus atende às necessidades de sua Igreja, ele necessariamente não atende a todas as suas *vontades*. Com frequência, Cristo diz "não", quando o que queremos ultrapassa ou vai de encontro ao que precisamos. É preciso orar para que seu marido não se sinta pressionado a trabalhar sessenta a oitenta horas por semana para certificar-se de que você tenha um determinado estilo de vida confortável. Muitas esposas pressionam os maridos trabalhadores a trabalhar ainda mais para que elas possam alcançar um maior *status* financeiro. Isso, com toda a certeza, não está em nenhuma parte da descrição bíblica das funções de responsabilidade de um marido.

Parte daquilo que um líder piedoso precisa prover para a família é a liderança espiritual e a instrução. Isso é difícil de ser cumprido se ele estiver sempre correndo atrás da próxima versão do sonho americano. Ore para que seu marido tenha sabedoria para saber a diferença entre provisão e indulgência.

Há alguns anos atrás, uma família de Ohio mudou-se para Austin e começou a frequentar nossa igreja. O marido conseguiu um emprego mais bem remunerado que o obrigou a se mudar. A família deixou para trás muitos amigos de longa data e uma grande igreja. Pouco tempo depois que eles começaram a frequentar nossa igreja, eu compartilhei uma mensagem sobre o que significava provisão. Falei sobre como a provisão de direção espiritual e o tempo passado com a família eram mais importantes do que a prosperidade financeira.

O marido e a mulher foram convencidos pelo Espírito Santo. Eles constataram que a mudança para Austin tinha sido motivada pelos motivos errados. Concluíram que tinham desistido do que realmente importava, a fim de buscar o que não era importante. Como resultado dessa constatação, o marido ligou para seu ex-empregador e perguntou se poderia voltar ao antigo emprego. O empregador concordou imediatamente. A família se mudou de volta para Ohio e restabeleceu a ligação com os membros da igreja. Todos os membros da família ficaram animados com a decisão. A última vez que falei com eles, estavam se saindo muito bem. Repetidas vezes. Deus confirmou a decisão deles de voltar a Ohio.

Ore para que seu marido nunca se sinta pressionado por você, por ele mesmo ou por qualquer outra pessoa a manter as aparências. Ore para que o padrão de provisão de Jesus seja o que ele objetiva.

Comece a orar por seu casamento

Ore 1Timóteo 5:8 por seu marido:

Senhor, ajuda meu marido a prover fielmente as necessidades de nossa família.

Ore para que ele tenha um coração de servo. Como esposo da Igreja, Jesus exemplificou o espírito de um servo. Ele ensinou que ele não veio para ser servido, mas para servir aos outros (ver Mateus 20:28). E que as pessoas em posição de autoridade devem conduzir através do servir (ver Marcos

10:41-45). O apóstolo Paulo nos mostrou muito bem como a vinda de Jesus à humanidade e sua humildade foram motivadas por sua disposição de servo (ver Filipenses 2:5-9). Embora seja Rei e Senhor da Igreja, Jesus também é o principal servo de sua noiva.

Que paradoxo: justamente aquele que podia mostrar sua força e mudar o caminho não o fez. Aquele que tinha o direito de se vangloriar e se gabar escolhe não o fazer. Aquele que deveria ser servido acabou servindo. Ore para que seu marido também seja assim. Ore para que ele tenha um coração de servo.

Recentemente um amigo meu pediu a namorada em casamento. Já contei a você sobre minha desastrosa proposta de casamento, em um capítulo anterior. Esse rapaz fez todo o restante de nós, rapazes, parecer muito ruim. Se um prêmio fosse dado à proposta de casamento mais profunda e bíblica já realizada, acho que meu amigo seria o vencedor.

Como parte de sua proposta, meu amigo ficou de joelhos diante da namorada e lavou-lhe os pés. Queria que ela soubesse que ele compreendia seu papel no relacionamento. Ele queria que ela soubesse que ele estava ali para servir. Não me interpretem mal, esse rapaz não é um bobalhão. Ele é grande, forte e um homem de verdade. Um líder na igreja e no mundo dos negócios. É por isso que o que fez é tão profundo. Ele podia sentir-se no direito de se vangloriar, se gabar e tentar controlar a namorada, mas não fez isso. O Espírito Santo lhe mostrou outra maneira de liderar. Então ele lavou os pés da namorada, e fez isso como uma metáfora de como pretendia conduzir o casamento.

Ore para que o seu marido tenha um coração de servo. Ore para que ele adote os exemplos de Jesus, e não os exemplos culturais, para que possa, como ele, liderar e se relacionar com você. Ore para que ele esteja seguro o suficiente em sua relação com Deus para ser humilde diante de você, bem como um líder que serve.

Comece a orar por seu casamento

Peça a Deus para dar ao seu marido
a atitude de Filipenses 2:3:
Senhor, ajuda meu marido a não fazer nada por ambição egoísta ou por vaidade, mas a humildemente considerar os outros superiores a si mesmo.

Ore a mesma coisa por si mesma. Lembre-se de que a Igreja, em sua dedicação e compromisso com Cristo, vive para servi-lo todos os dias. Ao orar sobre a atitude de servo de seu marido, ore sobre sua atitude também. Se você quer que ele se aproxime de você humildemente, então se aproxime dele com humildade. Não basta orar para que ele lhe sirva e atenda às suas necessidades; ore também para que você possa servi-lo com alegria e atender às necessidades dele.

Vale a pena esperar

É possível que, durante a leitura deste capítulo, você tenha ficado frustrada com o que seu marido *não é*. Você já leu sobre todas as grandes coisas que Jesus é e deseja que seu marido se torne mais semelhante a ele. Não permita que a frustração roube sua alegria e não desista de seu marido. Filipenses 1:6 promete que Deus não deixa de concluir nenhum trabalho em qualquer um de nós. Enquanto você estiver vivendo neste lado do céu, o Espírito Santo estará trabalhando em vocês dois. Por isso, continue orando!

Há uma promessa em Gálatas que irá ajudá-la a orar e ser paciente, enquanto Deus faz uma grande obra em seu marido. Leia: "Pois é mediante o Espírito que nós aguardamos pela fé a justiça, que é a nossa esperança" (Gálatas 5:5). A ênfase de Paulo nesse versículo está no fato de que a graça de Deus, e não nossos próprios esforços, nos transforma e nos torna santos. Em outras palavras, *a justiça não é algo que você possa conseguir; é algo que você deve receber*. Há quatro substantivos proeminentes em Gálatas 5:5: *espírito, fé, esperança e justiça.* Há apenas um verbo: *aguardamos*. Enquanto Deus nos torna santos mediante a fé, temos de esperar e contar com ele para fazer sua obra em nós.

Aplique esse versículo ao seu marido; ore para que ele se torne mais semelhante a Cristo. Esse versículo lhe diz exatamente o que é necessário para que isso aconteça:

- *O Espírito Santo.* Só ele pode produzir uma mudança na vida de seu marido.
- *Fé.* Você tem de acreditar na promessa de que Deus responde às suas orações e opera em seu marido.
- *Esperança.* Suas orações e as promessas da Palavra de Deus produzirão uma grande esperança em você por seu marido.
- *Justiça.* Santidade e justiça é o objetivo da ação do Espírito na vida de seu marido.
- *Espera.* É necessário tempo para que uma mudança verdadeira ocorra na vida de seu marido.

Eu espero que você converse com o Senhor todos os dias sobre seu marido, e espero que você o faça com a linguagem de Gálatas 5:5.

- Diga a Deus que você confia no Espírito Santo para realizar sua grande obra na vida de seu marido. Submeta a ele em oração a agenda do Espírito, e não sua própria.
- Diga a Deus que você acredita em sua Palavra e que sabe que ele a cumprirá através de você e seu marido.
- Peça a Deus para aumentar sua esperança em seu marido e no casamento. Ore para que sua esperança quanto à obra de Deus em seu marido venha a capacitá-lo a permanecer fiel e obediente a Jesus nos dias potencialmente difíceis de mudança que terá pela frente.
- Ore para que seu marido tenha fome e sede da justiça de Deus (ver Mateus 5:6).
- Peça a Deus a força e a graça de esperar pacientemente que o Espírito complete sua obra em seu marido. Diga a Deus que você lhe dará todo o tempo necessário para fazê-lo.

Se seu marido ainda não é o cristão que você deseja ou que acha que ele precisa ser, quero encorajá-la a esperar e não se afastar dele. Não tente manipular o resultado e não dê um prazo para Deus. Seu marido pode mudar. Seja tão paciente ao esperar que ele amadureça quanto Cristo espera por você. Não julgue, não se torne amarga e não comece a pensar que merece mais. Lembre-se de que, em primeiro lugar e acima de tudo, você é "casada" com Jesus. Retire dele conforto e força à medida que ele age para tornar seu marido um poderoso homem de Deus.

Já vi inúmeros exemplos de Deus respondendo às orações específicas de esposas. Já vi homens que não tinham o menor interesse nas coisas de Deus passarem a orar, servir, adorar e se tornarem piedosos seguidores de Cristo. Por trás de todas essas mudanças radicais estavam as orações de uma mulher fiel e paciente. Ore por seu marido. Deus *responderá* às suas orações.

Ore poderosamente hoje

- Ore para que seu marido ame a Palavra de Deus e leia a Bíblia regularmente.
- Ore para que ele odeie o pecado.
- Ore para que ele sinta prazer em orar e seja um homem de oração.
- Ore para que seu marido acolha uma comunidade cristã em sua vida e seja responsável por pelo menos um homem cristão.
- Ore para que seu marido tenha prazer pela adoração.
- Ore para que ele entenda a importância de lutar espiritualmente pela família.
- Ore para que ele seja um poderoso guerreiro de Deus.

Versículos para orar por seu marido

- 2Timóteo 1:7: *Senhor, não permitas que meu marido tenha um espírito de timidez, mas dá-lhe um espírito de poder, amor e autodisciplina.*

- 2Coríntios 10:3-4: *Pai, ensina meu marido a não travar batalhas como o mundo faz. Ajuda-o a não lutar com as armas do mundo. Dá-lhe o teu poder, ó Deus, para destruir as fortalezas satânicas em nossa casa e em nossa família.*
- Lucas 9:23: *Santo Deus, ajuda meu marido a negar a si mesmo, tomar a sua cruz diariamente e seguir Jesus.*

Uma oração pelo casamento

Senhor Deus, eu oro por meu marido. Peço que tu faças dele um homem espiritualmente forte. Enche-o diariamente com o teu Espírito e ajuda-o a andar em teus caminhos. Oro para que ele seja um homem dedicado na adoração e na oração, que ame a tua Palavra e odeie o pecado. Por favor, ajuda-o a falar sempre com seriedade e honestidade. Faz dele um fiel e exemplar seguidor de Cristo. Faz dele um grande líder em nosso casamento e dá-me a graça de submeter-me a ele como me submeto a ti. Oro no maravilhoso nome de Jesus. Amém.

CAPÍTULO OITO

COMO ORAR POR SUA ESPOSA

IMAGINE A CENA: UM HOMEM DE JOELHOS, com o rosto voltado para o céu, as mãos abertas e com as palmas viradas para cima. Ele está orando. Faz isso durante certo tempo. Essa não é uma oração casual nem uma oração pronta. Esse homem tem em mente uma coisa. Ele intercede com grande intensidade e está focado no que está pedindo.

Está orando por sua noiva. Ele ora para que ela seja pura, esteja protegida e seja próspera. Ele está pedindo a Deus para lhe conceder favor em tudo o que ela fizer. Sem parar, ele busca o melhor de Deus para sua bela noiva.

Ele é o exemplo máximo do marido que ora. Quem é ele? O Senhor Jesus. Em João 17, encontramos a mais longa oração de Jesus registrada nas Escrituras. Na noite anterior a sua crucificação e traição, Jesus passou muitos de seus momentos finais de liberdade orando. Grande parte de sua oração consistiu de intercessões por sua noiva, a Igreja.

Acho que é uma verdade profunda e inspiradora: nas horas finais de Jesus, ele não orou apenas, mas orou por nós, sua noiva. Como marido, sinto-me tanto humilhado quanto desafiado pelo exemplo de Jesus. Isso me faz querer orar mais por minha esposa. Isso me faz querer ser o tipo de intercessor que Jesus foi.

Suba no pódio

Infelizmente, já vi muitos casamentos em que o marido morreu espiritualmente. As mulheres são, em geral, mais intuitivas do ponto de vista espiritual do que os homens, e a maioria dos homens parece muito feliz em deixá-las assumir a liderança. Tal abdicação espiritual por homens cristãos não só é pecaminosa e antibíblica, mas também devastadora para os casamentos, os lares e a nação. Homens e mulheres cristãos têm papéis biblicamente atribuídos a desempenhar. Quando qualquer marido cristão ou esposa solta sua extremidade da corda, demasiada pressão é colocada sobre a outra parte. Especificamente, em muitos casos, as mulheres cristãs são chamadas a desempenhar tanto o papel de esposa quanto de líder espiritual, porque o marido é que deve ser fisgado (figurativa ou literalmente). Como resultado, elas são incapazes de assumir qualquer papel muito bem.

Marido, eu estou lhe pedindo para subir até o pódio. Estou pedindo que você reconheça e aceite seu papel bíblico como homem e líder. Não despeje suas responsabilidades sobre sua esposa. Se você pulou o último capítulo pensando que era apenas para sua esposa, volte e leia-o. Descubra o que ela está orando para que você se torne, e, em seguida, tome a decisão de ser esse tipo de homem. Seja um homem que ama a Jesus mais do que qualquer outra coisa. Seja um homem que apresenta firmemente seus apetites e atitudes à autoridade de

Jesus. Abrace o modelo do Senhor Jesus e torne-se um marido que ora. Torne-se o intercessor número um de sua esposa.

Por que você deve orar por sua esposa?

O maior presente que você pode dar à sua esposa é o dom da oração. Eu não estou exagerando isso. Uma oração consistente, bíblica e específica não só irá ajudar e incentivar sua esposa e seu relacionamento com ela, mas também mudará você. Eu vi a oração aprofundar e fortalecer meu relacionamento com Susie ao longo dos anos. Sei que o mesmo pode acontecer em seu relacionamento com sua escolhida.

Aqui estão algumas razões bíblicas para você se tornar o principal intercessor de sua esposa.

Você é chamado para amá-la como Jesus a ama. A orientação do apóstolo Paulo em Efésios 5 não poderia ser mais clara: "Maridos, ame cada um a sua mulher, assim como Cristo amou a igreja e entregou-se por ela" (Efésios 5:25). Em outras palavras: "Marido, ame sua esposa como Jesus a ama; ame-a o suficiente para morrer por ela." O tipo de amor que Paulo menciona nesse versículo é o tipo elevado e nobre de amor que existe entre Jesus e Deus como membros da Trindade. É o amor descrito em João 3:16, que levou Deus a dar o seu Filho como sacrifício pelos pecadores. Esse amor elevado e santo é o amor da aliança incondicional, inabalável, modelada por Deus em sua relação com a nação rebelde de Israel. E é o tipo de amor que é impossível para os seres humanos demonstrar uns aos outros sem o trabalho progressivo do Espírito de Deus em suas vidas.

Por conta própria, você nunca será capaz de amar sua esposa adequadamente. A ordem para amá-la como Jesus ama você irá iludi-lo, apesar de seus esforços. Mas orar todos os dias — pedindo a Deus para equipá-lo com seu amor e sua graça — por sua esposa levará você por um longo caminho a fim de ajudá-lo a cumprir sua tarefa bíblica de amar sua escolhida como Jesus ama você. A oração pode dar-lhe humildade, paciência, autocontrole e visão para elevá-lo até o momento de servir à sua esposa.

Aprendi isso em primeira mão há vários anos. Susie e eu estávamos passando por um momento difícil no matrimônio. Eu estava desfolhando anos de bagagem emocional e relacional, e meu processo de cura havia criado uma temporada prolongada de tensão no casamento. Todas as vezes que eu ficava impaciente com Susie e com aquilo que percebia ser sua atitude espinhosa em direção a mim, eu chamava meu parceiro, Rick, para queixar-me sobre a vítima que eu era. Ele me ouvia por cerca de dez segundos e, em seguida, fazia sempre a mesma pergunta, que inevitavelmente levava a uma conversa que eu não queria ter. O enredo era algo assim:

> RICK: Está certo, Will, então você está irritado com a forma como Susie está agindo.
> EU: Sim. Bastante.
> RICK: E você quer que as coisas mudem.
> EU: Sim.
> RICK: Eu acho que posso ajudar. Deixe-me lhe fazer uma pergunta: até que ponto Jesus foi para servi-lo?
> EU: Como?
> RICK: Até que ponto Jesus foi para servi-lo?
> EU: Eu não entendi a pergunta.
> RICK: Vamos, Will, não é tão difícil. Até que ponto Jesus foi para servi-lo? O que ele fez?

Eu: Isso não é justo; não é a mesma coisa.
Rick: Sim, é. Até que ponto ele foi?
Eu: Ele morreu.
Rick: O quê? Eu não consegui ouvi-lo.
Eu: Ele morreu!
Rick: Isso mesmo; ele morreu por todos os seus pecados. E, uma vez que ele é o seu Senhor e Mestre, além de seu modelo no casamento, até que ponto você deveria ir para servir a Susie?
Eu: Eu não gosto nem um pouco de você.
Rick: Responda a pergunta. Até onde?
Eu: Eu deveria morrer por ela.
Rick: Isso mesmo! Você deveria morrer por ela. E agora, Will, eu tenho uma pergunta final. Você está morto?
Eu: Não.
Rick: Certo novamente! Não, Will, você não está morto. Você está reclamando e me chamando para dizer o quão mal você se sente. E já que você, obviamente, não está morto, fique quieto e volte a servir a Susie. Me chame quando você estiver morto.

Eu sempre odiei essas conversas. Mas Rick estava certo, e eu inevitavelmente me humilhava diante de Deus e de Susie e voltava a orar por ela. Em minhas orações, Deus me quebraria, me ensinaria, e me daria o que eu precisava para amar Susie do jeito que ele queria que eu o fizesse. No fim, Deus fez um grande trabalho em nós dois.

Você precisa orar por sua esposa simplesmente porque o chamado de Deus em sua vida o exige. Você não será capaz de cumprir seu papel bíblico sem oração.

Comece a orar por seu casamento

Ore pela sua vida de oração. Peça a Deus para torná-lo um poderoso intercessor. Ore para que ele o guie e o capacite a orar de maneira eficaz por sua amada.

Você é chamado para servir a ela como Jesus o faz. Uma das principais formas pelas quais Jesus nos serve é através da oração. Já vimos que ele passou grande parte de sua última noite na terra orando por sua noiva, a Igreja. Você sabia que as intercessões não cessaram quando ele foi para o céu? Hebreus 7:25 nos diz que Jesus ainda está orando por nós: "Portanto, ele é capaz de salvar definitivamente aqueles que, por meio dele, se aproximam de Deus, pois vive sempre para interceder por eles."

Se Jesus sempre vive para interceder por sua noiva, e se pretendemos servir as nossas esposas como Jesus nos serve, então faz sentido que devamos desenvolver o hábito de orar por nossos cônjuges. A frase "eu prometo amá-la, honrá-la, valorizá-la e orar por você até que somente a morte nos separe" deve ser uma parte dos votos de casamento de todo homem.

Gary e Jackie Sinclair formam um adorável casal que há pouco tempo se mudou para Austin, vindo do meio-oeste, e Gary veio servir em nossa igreja. Alguns anos antes da mudança, os médicos descobriram um tumor cancerígeno no colón do útero de Jackie. Imediatamente, Jackie e o Gary "normal" foram consumidos por meses de testes, quimioterapia, radioterapia, exames, consultas médicas, medicamentos, cirurgias e até mesmo alguns desanimadores fracassos.

Os Sinclair estavam casados havia quase trinta anos e lançavam mão da oração para guiá-los por muitas decisões e estações importantes da vida. Mas, nessa nova crise, Gary sentiu-

-se chamado a levar suas orações pela esposa a um outro nível. Após o diagnóstico de Jackie, ele assumiu um novo compromisso com ela: iria orar por ela todas as noites ao longo do próximo ano, não importa o que acontecesse. Gary sabia que Deus poderia fazer o que quisesse com Jackie. Poderia curá-la ou levá-la para casa, para o céu. Mas Gary determinou que, qualquer que fosse o resultado, seu coração seria derramado para sua esposa todas as noites em oração.

Gary manteve a promessa. Houve semanas em que sua oração pareceu ter pouco impacto, mas ele continuou. Houve noites em que Jackie encontrava-se tão enfraquecida que não sabia que ele estava orando por ela, mas ele orava assim mesmo.

Deus honrou as orações de Gary. Hoje Jackie está bem, e não parece que haja qualquer sinal de câncer em seu corpo. E, embora nenhum deles possa explicar todas as implicações desses meses de oração, eles sabem que Deus tornou-os mais próximos através dessas orações. A intimidade espiritual entre eles cresceu à medida que Gary orava diariamente por sua esposa. Hoje sua prática de oração continua, não como um ritual ou exigência, mas como resultado do amor a Deus e de um para o outro que se aprofundou enquanto oravam através do vale da sombra da morte.

Você quer servir à sua esposa? Está pronto para ser o tipo de marido que Jesus é para sua noiva? Então, comece a orar.

Comece a orar por seu casamento

Peça a Deus para torná-lo o marido que Jesus é. Peça-lhe para ajudá-lo a viver para interceder por sua esposa. Ore por sabedoria e discernimento para interceder por ela de acordo com a Palavra de Deus.

Você é chamado para conduzi-la como Jesus o faz. Em Efésios 5:22, o apóstolo Paulo deu às mulheres uma das orientações mais incompreendidas na Bíblia: "Mulheres, sujeite-se cada uma a seu marido, como ao Senhor." Tenho certeza de que o Espírito Santo nunca quis que toda uma controvérsia se desenvolvesse em torno dessa simples orientação, mas séculos de abuso e uso indevido pela Igreja fizeram do tema da submissão algo negativo para muitas mulheres. Isso não deve ser assim. Observe que a ordem é para sua esposa submeter-se a você como ela faria ao Senhor. Ela tem de discernir através da oração e da leitura da Palavra de Deus o que a submissão a você deve ser em termos práticos. Você precisa imitar Jesus para que a submissão dela a você seja tão alegre e fácil como é para Cristo.

A fim de cumprir seu dever bíblico como marido, você precisa ser o tipo de líder que Jesus é. Como é que Jesus lidera? Ele conduz com cuidado, paciência, sabedoria e de forma constante. É uma alegria para seus seguidores submeter-se a ele, porque ele é um grande líder. Saiba também que a liderança de Jesus nunca é forçada. Toda pessoa que o segue escolhe fazê-lo. Para liderar como Jesus, você precisa ser o tipo de líder que sua esposa sinta prazer em seguir. Seja paciente, gentil, estável e confiável em sua liderança. Ajude-a a seguir você.

Como tornar-se esse tipo de líder? Por meio da oração.

Comece a orar por seu casamento

Ore Mateus 20:25-28 por sua liderança no lar:

Senhor, ajuda-me a não ser autoritário com minha esposa. Em vez disso, ajuda-me a tornar-me seu servo. Ajuda-me a, como tu, procurar servir e não ser servido.

Orações específicas por sua esposa

Em janeiro de 2007, Colleen Pavelka, professora de Chicago, decidiu induzir o nascimento de seu segundo filho, antecipando-o alguns dias, para que o marido, Mark, um fanático fã do Chicago Bears, pudesse assistir ao jogo dos Bears contra o New Orleans Saints, pelo campeonato da National Football Conference Championship. Sei que muitos de vocês, lendo isso, pensarão em silêncio: "Que mulher!" e irão orar para que sua própria esposa possa ser igualmente determinada a satisfazer suas paixões recreativas. Posso sugerir, colegas fãs de esportes, que tenhamos objetivos mais elevados nas orações por nossas esposas? Com todo o respeito a Mark e a Colleen Pavelka, e a todas as garotas norte-americanas, vamos orar por mais do que uma esposa que ceda a cada um de nossos desejos. Façamos orações bíblicas, poderosas e focadas pela mulher com que Deus nos abençoou.

A seguir estão várias orações específicas para que você ore por sua esposa. Elas foram tiradas diretamente das Escrituras. São alguns dos versículos que eu oro regularmente por Susie. Mas são apenas para ajudar você a começar. Sei que, à medida que você ler e orar através da Bíblia, Deus lhe entregará promessas específicas para você orar por sua esposa.

Ore para que ela seja uma mulher de caráter. Provérbios 31:10 observa: "Uma esposa exemplar; feliz quem a encontrar! É muito mais valiosa que os rubis." O termo "exemplar" significa "forte", "independente", "capaz" ou "excelente". É usado para descrever grandes exércitos e grandes riquezas. Refere-se a uma força interior inabalável. Nessa descrição, o escritor bíblico vê uma mulher com uma reputação moral inabalável. Uma mulher de integridade pessoal impecável.

A esposa de tal personagem é mais valiosa para o marido do que uma coleção de rubis.

Há uma pressão cultural significativa sobre a mulher nos dias de hoje para que *seja* um caráter em vez de *ter* caráter. Importa que as mulheres sejam manchetes, independentemente de como ou de por quê. E ser manchete é o que elas fazem. Somos bombardeados com histórias após histórias da nova geração de mulheres que jogam a cautela ao vento e vivem da forma que ditam seus apetites.

Contraste essa nova norma cultural com a personagem bíblica Maria, a mãe de Jesus. Uma mera adolescente quando recebeu, talvez, a tarefa mais difícil da história, Maria manteve-se fiel a si mesma, ao seu marido e ao seu Deus. Ela nem duvidou de Deus, nem reclamou quando foi solicitada a trilhar um caminho que a empurrou para uma difícil notoriedade, não apenas para o resto de sua vida, mas ao longo da história. Seu caráter era forte; ela era realmente nobre.

Ore para que Deus dê à sua esposa um caráter como o de Maria. Peça a Deus para fazê-la forte e firme em face das ofensivas culturais para que se torne algo menor do que nobre. Ore para que ela não ceda à atração gravitacional do declínio cultural.

Comece a orar por seu casamento

Ore 1Timóteo 3:11 por sua esposa. Peça a Deus para ajudá-la a ser digna de respeito, para que não seja uma tagarela maliciosa, mas alguém que em tudo seja moderada e digna de confiança.

Ore para que ela se deleite em Deus. Salmos 37:4 declara: "Deleite-se no SENHOR, e ele atenderá aos desejos do seu coração." É fácil para as mulheres cristãs se distrair. O apóstolo Paulo advertiu os cristãos de Corinto sobre se afastar de sua devoção sincera e pura a Cristo (ver 2Coríntios 11:1-3). Precisamos orar para que nossos cônjuges tenham em conta a mesma advertência.

Muitas coisas competem pela atenção de nossas esposas. Considere todas as mensagens da mídia que recebem diariamente: ser magra, estar na moda, ser simpática, fazer algo com aquelas rugas ao redor dos olhos, o traseiro está muito grande, os seios são muito pequenos, obter um *personal trainer* e preparar-se para um triátlon, comprar sapatos mais bonitos, experimentar aquela nova maquiagem, ser convidada para um clube, ser bonita, mudar o cabelo, ser mãe, ganhar pelo menos cem mil dólares por ano, fazer trabalho voluntário, atualizar o guarda-roupa, reformar a casa, manter o marido feliz. Com todo esse ruído de fundo, é difícil imaginar como qualquer mulher cristã possa manter o foco em Cristo.

Como um marido amoroso, você precisa orar contra essas vozes que podem roubar a paixão espiritual de sua esposa e distraí-la de seu primeiro amor, Jesus. Ore para que ela encontre seu valor em Deus, e não naquilo que o mundo oferece.

Considere outra Maria na Bíblia, a irmã de Marta e Lázaro. Quando Jesus apareceu na casa deles, Maria sentou-se aos seus pés e ficou escutando-o ensinar. Mesmo com Marta reclamando que ela estava negligenciando seus afazeres domésticos, Maria ficou focada em Jesus. Ela não deixou que as expectativas de Marta ditassem quem ela deveria ser. Jesus afirmou que ela fez a escolha certa (ver Lucas 10:38-42).

Você viu o restante da promessa em Salmos 37:4? "E ele atenderá aos desejos do seu coração." Aqueles que se deleitam em Deus terão seus corações satisfeitos por ele. Conforme os valores de sua esposa mudam, de agradar aos outros para agradar a Deus, ela verá que seu coração está mais satisfeito. Ore Salmos 37:4 por sua esposa. Peça a Deus para ajudá-la a deleitar-se com ele. Ore para que, quando ela assim fizer, seu coração torne-se cada vez mais satisfeito.

Comece a orar por seu casamento

Ore Mateus 6:33 por sua esposa:

Pai, ensina a minha esposa a buscar primeiro o teu Reino e a tua justiça. Conforme ela o fizer, por favor, dá-lhe tudo o que ela precisa.

Ore para que ela busque a beleza interior. Peça a Deus para ajudá-la a superar a pressão de olhar para determinadas maneiras ou de ser atraente aos padrões da cultura. Andrée Seu oferece certa percepção sobre a pressão que as mulheres enfrentam para manter uma determinada aparência:

> O verão está chegando, e os homens não têm ideia do que as mulheres enfrentam nesta terra longínqua. A ansiedade começa a surgir em março [...] quando não é mais possível disfarçar por mais um ano a importante devastação e os lapsos culinários que o inverno produziram. [...] Naomi Wolf, em seu explosivo livro, "O mito da beleza" [*The Beauty Myth*], nos informa que "30 mil mulheres disseram aos pesquisadores que preferem perder de cinco a oito quilos do que alcançar qualquer outro objetivo."[1]

Provérbios 31:30 observa: "A beleza é enganosa, e a formosura é passageira; mas a mulher que teme o Senhor será elogiada." Ore para que sua esposa saiba quão enganosa e fugaz a beleza física é. Ore para que ela tenha temor a Deus e o busque de todo o coração. Peça a Deus para protegê-la da mentira cultural que afirma que a boa aparência é tudo.

Comece a orar por seu casamento

Ore Salmos 139:14 por sua esposa. Ore para que ela saiba que foi incrível e maravilhosamente formada.

Ore para que ela conheça a missão de sua vida. Muitas mulheres passam a vida inteira buscando um propósito. Algumas configurações culturais e religiosas ainda pregam que as mulheres são cidadãs de segunda linha. Algumas mulheres sentem que devem viver para sempre na sombra dos homens ao seu redor. Muitas nunca sentem a liberdade de exercer o ministério ou missão da vida por Deus.

Susie tem dificuldades com essa questão. Durante anos ela viveu à minha sombra como a esposa prestativa do pastor. Ela aguentou minhas longas horas de trabalho e incentivou-me durante meu mestrado e meu doutorado, e então me acompanhou enquanto eu plantava duas igrejas e servia a uma terceira.

Mas, durante esse tempo, Susie não conseguia afastar a sensação de que ainda havia mais para ela. Ela tinha esperanças e sonhos de ter um ministério próprio, que ela acreditava ter sido dado por Deus. Susie e eu nunca paramos de orar a Deus para cumprir esses sonhos. E ele foi fiel. Hoje, Susie é uma exímia comunicadora de Cristo. É uma escritora com obras publicadas e dá palestras por todo o país, ajudando as mulheres a aprofundar a relação com Deus.

Sua mulher tem um sonho? Ela precisa pôr de lado suas próprias esperanças e visões para que possa servir às suas? Ore por sua esposa. Peça a Deus para dar-lhe uma missão clara de vida.

Pense sobre Ester. Não era para o benefício próprio que ela se tornou rainha de uma nação. Deus usou seu posicionamento estratégico para salvar a nação judaica do extermínio. Sua realização "para um momento como este" deu-lhe um propósito muito além da própria vida. Deus mostrou-lhe como, através de sua obediência, ela poderia ministrar a inúmeros outros (ver Ester 4:13-14).

Ore para que Deus dê à sua esposa uma visão "para um momento como este", Peça a Deus para conceder-lhe um propósito claro e uma missão para a sua vida. Ore para que ela compreenda porque Deus lhe deu os dons, habilidades, talentos e experiências que ela possui. Ore para que ela seja capaz de abraçar e desfrutar o chamado único de Deus em sua vida.

Comece a orar por seu casamento

Ore para que você seja o apoio e incentivo da visão de sua esposa. Peça a Deus para livrá-lo de qualquer ciúme, insegurança ou egoísmo que poderia impedi-lo de abençoar plenamente a missão de sua vida.

Ore para que ela seja santa. Em Efésios 5, Paulo discorre sobre a razão pela qual Jesus morreu por sua noiva, a Igreja: "Para santificá-la, tendo-a purificado pelo lavar da água mediante a palavra, e para apresentá-la a si mesmo como igreja gloriosa, sem mancha nem ruga ou coisa semelhante, mas santa e inculpável" (vv. 26-27). Uma vez que Jesus orou por sua noiva para que fosse santa, devemos orar o mesmo por nossas esposas.

Quando uma pessoa se torna cristã, Deus começa o processo de torná-la santa. Esse processo é chamado de santificação. Deus usa o sofrimento, a Palavra, a oração, a adoração, as provas e o trabalho diário do Espírito para recriar a imagem de Cristo em cada um de nós. Quanto mais permitimos que Jesus governe e reine em nossas vidas, mais santo seremos. Ore pelo processo de santificação de sua esposa. Ore para que Deus a torne santa.

Você pode estar pensando: "Por que eu deveria orar para que ela seja santa? Eu nunca verei os efeitos dessa oração. Eu não deveria orar por algo mais tangível?" Na verdade, sempre que você ou seu cônjuge crescem em santidade, isso pode ter um impacto profundo e positivo no casamento:

- Santos odeiam o pecado — são menos propensos a se envolver em comportamentos de risco ou egoístas.
- Santos servem — são rápidos a se submeter em amor e a colocar as necessidades dos outros antes de suas próprias.
- Santos doam — gostam de ser generosos com seu tempo e recursos.
- Santos são sábios e sabem discernir — sabem como aplicar os ensinamentos de Deus em situações muito específicas na vida.
- Santos perdoam — obedecem à ordem de Jesus de não guardar rancor contra ninguém.
- Santos amam — estendem prontamente aos outros o amor incondicional e a graça que Deus lhes mostrou.

Você pode ver como o aumento da santidade de sua esposa pode ajudar seu casamento? Mas antes de começar a orar pela santidade dela, da qual você irá se beneficiar, lembre-se de que seu modelo como marido cristão é Jesus. Jesus conduz e dá o exemplo para sua noiva. Então, em qualquer grau que sua mulher ame, sirva, perdoe, doe e se submeta a você, é preciso que você faça ainda mais por ela! Talvez você deva orar por santidade para ambos.

Quando você ora para que sua esposa seja santa, está orando em total concordância com o Espírito Santo. Ele ora e trabalha para a santidade de cada discípulo de Cristo. Você não poderia fazer uma oração específica mais poderosa ou bíblica por sua esposa. Assim, à medida que você orar por sua santidade, sei que Deus responderá e honrará seu casamento em tudo.

Ore poderosamente hoje

- Ore por seu papel como marido cristão. Memorize Efésios 5:25 e pense sobre como Jesus ama e serve a você. Ore para que você trate sua esposa exatamente como Jesus lhe trata. Ore para que ela considere fácil e deleitoso submeter-se a você.
- Ore para ser um líder gentil. Peça a Deus para ajudá-lo a não se aproveitar do papel de liderança que ele lhe deu no lar. Ore para que você seja um líder humilde e abnegado.
- Ore pela paz no lar. Peça a Deus para dar a você e sua esposa maturidade nas diferenças. Ore para que a paz e a unidade de Jesus sejam refletidas em seu casamento.

- Ore pela fé de sua esposa. Peça a Deus para ajudá-la a acreditar na Palavra e confiar nas promessas dele. Ore para que ela não seja inclinada a inquietações.
- Ore pelas disciplinas espirituais de sua esposa. Peça a Deus para ajudá-la a apreciar a oração, a adoração e a leitura da Bíblia.
- Ore para que sua esposa odeie o pecado. Peça a Deus para condená-la pelo pecado e para que depressa se arrependa.
- Ore para que sua esposa pratique a obediência imediata. Ore para que ela não tente negociar nem tentar uma queda de braço com Deus, mas que tenha fé para fazer imediatamente o que quer que ele solicite.

Versículos para orar por sua esposa

- Efésios 5:26-27: *Senhor, por favor, torna minha mulher santa. Purifica-a através da tua Palavra, e apresenta-a a ti mesmo como uma noiva radiante, sem mancha, nem ruga, nem qualquer outro defeito, mas pura e irrepreensível.*
- Salmos 37:4: *Santo Deus, por favor, ajuda minha esposa a colocar sua satisfação em ti, e satisfaz os desejos de seu coração.*
- 1Pedro 3:3-4: *Senhor, faz com que a beleza da minha esposa não esteja nos enfeites exteriores, como cabelos trançados, joias e roupas finas. Em vez disso, permite que venha de seu interior a beleza imperecível de um espírito manso e tranquilo, que é de grande valor aos teus olhos.*

Uma oração pelo casamento

Pai santo, eu oro por minha doce esposa. Obrigado por a teres dado a mim. Ajuda-me a vê-la como o dom que ela é. Perdoa-me pelas vezes que a julguei errado. Oro por ela assim como Cristo orou por sua noiva, a Igreja: para fazê-la santa. Oro para que ela seja apresentada a ti santa e imaculada. Completa tua grande obra de santificação em sua vida. E ajuda-me a ser um líder digno para ela. Dá-me o tipo de paixão, amor e graça incondicional por minha esposa, assim como tu sentes por tua noiva. Eu oro por isso no santo nome de Jesus. Amém.

CAPÍTULO 9

COMO ORAR POR UM CÔNJUGE INCRÉDULO

MINHA PRIMEIRA LEMBRANÇA CLARA DE Eddy Siroin foi à minha mesa de jantar. Já o tinha visto na igreja com a família. Sabia que era um importante fã do Green Bay Packers e possuía uma foto em tamanho natural do lendário zagueiro do time, Brett Favre, na sala de estar de sua casa. Mas, quando Eddy conversou tranquilamente no jantar com alguns outros casais da igreja, não esperava o que ouvi. Esse homem bom e tranquilo tinha uma raiva profunda de Deus. Sua linguagem mudou rapidamente, do cordial para hostil, quando lhe perguntei como se sentia sobre coisas espirituais. Ele deixou muito claro que controlava a própria vida. A única razão pela qual estava na igreja era para atender sua esposa e filhos. Ele não tinha nenhuma utilidade para Deus e não esperava que isso mudasse. Até onde Eddy estava interessado, ele e Deus estavam muito bem sem se relacionar entre si.

Lynn, a esposa de Eddy, por outro lado, tinha crescido em um lar cristão. A fé para ela era algo natural. Ela ansiava por um relacionamento conjugal que refletisse sua fé em Cristo, mas sabia que não poderia pressionar Eddy. Lynn sabia que a esperança da salvação de seu marido e de viver um casamento cristão estava em suas orações por Eddy, e não em pregar para ele. E orar foi o que ela fez. Lynn tornou-se uma intercessora regular por Eddy. Começou a orar versículos da Bíblia para ele e tentou servir de modelo para uma forma amorosa e obediente do cristianismo. Ela deixou o resto para Deus.

Gostaria de saber se você tem uma história semelhante. Já experimentou a tensão de desejar e precisar evangelizar seu cônjuge? A combinação de tentar viver e testemunhar com a mesma pessoa pode ser extremamente explosiva. Também pode ser muito frustrante.

Este capítulo fala sobre esperança. Eu quero aumentar sua confiança na realidade bíblica de que Deus quer salvar seu cônjuge perdido espiritualmente, e quero mostrar-lhe qual é seu papel, e qual não é, nessa situação. Acima de tudo, quero capacitá-lo(a) a fazer poderosas orações específicas por seu marido ou esposa incrédulo.

As tentações dos cristãos casados com não cristãos

Antes de falarmos sobre orações específicas que você pode fazer por seu cônjuge descrente, vamos tratas das tentações que o cristão enfrenta quando é casado com um não cristão. Veja se já foi vítima de qualquer dessas tentações mais comuns:

- *Pregar*. De longe a mais comum, essa tentação transforma o cônjuge cristão em uma espécie de Billy Graham. O marido pode dizer constantemente à esposa que ela é ausente, ou a mulher pode afirmar que o marido está atrapalhando o casamento por não seguir a Cristo. "Pregadores" mais sutis deixam

Bíblias abertas por toda a casa, colocam livros ou periódicos cristãos na cesta de revistas do banheiro e constantemente bombardeiam o cônjuge com uma torrente interminável de músicas cristãs.

- *Fazer beicinho.* Birrentos vivem de cara feia, lastimam e se queixam sobre o triste estado de sua união espiritual. Assumem uma mentalidade de vítima e não é nem um pouco divertido ser casado com um deles. Geralmente acabam deprimindo a si mesmos e ao cônjuge.
- *Protestar.* Os opositores são mais agressivos que os birrentos. Longe de se vitimizarem, acreditam que têm direito a algo melhor. Acham que o cônjuge lhes deve isso e precisa tornar-se cristão. A fim de cumprir esse objetivo, vivem em greve no casamento. O pensamento dos que vivem protestando é algo mais ou menos assim: "Se meu cônjuge não está disposto a adiantar-se e seguir a Cristo para ajudar nosso casamento, então não tenho de melhorar em nada também. Por que eu deveria ser o único doador neste relacionamento? Só faço servir neste casamento." Com essa mentalidade, o cônjuge cristão para de investir no casamento e começa a negligenciar seus deveres conjugais.
- *Punir.* Punidores são opositores sob efeito de esteroides. Eles não apenas param de contribuir para o casamento; eles entram em guerra com o cônjuge, enxergando-os como o inimigo número no casamento. Os punidores tentam tornar as coisas as mais miseráveis possíveis para o cônjuge rebelde, na esperança de, de alguma forma, torturá-lo para fazê-lo seguir a Jesus através de seu próprio comportamento ruim e sem amor. Punidores muitas vezes

acabam agindo mais como não cristãos do que seus cônjuges incrédulos.

- *Chutar a bola.* Os que "chutam a bola" em um relacionamento são aqueles que decidem que já não vale mais a pena o esforço. O cônjuge frustrado decide parar de tentar, como um jogador de futebol que se esforça, luta, mas sem obter resultado acaba optando por chutar a bola para a outra equipe. Essa tentação é a mais desanimadora, quando os cônjuges cristãos acabam abandonando seu cônjuge, muitas vezes sem justificação bíblica. Como pastor, já vi circunstâncias trágicas em que o divórcio é permissível e até mesmo aconselhável biblicamente, mas vejo com maior frequência cônjuges "chutando a bola" de seu relacionamento conjugal, simplesmente porque estão cansados da luta. Quando os cristãos perdem a esperança da salvação do cônjuge e saem de um casamento, a obra do Reino de Deus é frustrada. Deus nunca desiste de incrédulos; nem nós deveríamos desistir.

Tenho certeza de que não tenho de lhe dizer que as tentações listadas não são boas opções para você. Se você é casado(a) com uma pessoa que não crê, ainda assim você é chamado(a) para demonstrar-lhe o amor e a fidelidade de Cristo. Você não está feliz porque Deus não nos trata, em nossa incredulidade, da maneira como nós às vezes tratamos nossos cônjuges incrédulos? Você fez um pacto com Deus para amar seu cônjuge, aconteça o que acontecer. Dê ao seu cônjuge o tempo e liberdade que Deus lhe deu para elaborar suas crenças. Não se apresse, não empurre e não pregue.

Então o que um marido ou esposa deve fazer quando casado(a) com um incrédulo? Pegue uma caneta e escreva a resposta abaixo no espaço em branco. Eu acho que você já sabe a palavra.

O__________!

Orações que libertam os cativos

É hora de começar a trabalhar. Deixemos de nos queixar de nossos cônjuges incrédulos, pregar para eles e brigar; deixemos esse negócio para que Deus interceda por eles. Aqui estão algumas orações poderosas e específicas que você pode fazer por seu cônjuge espiritualmente resistente.

Ore para que o vento do Espírito de Deus sopre na alma de seu cônjuge. Ezequiel 37 nos dá um retrato vívido do que Deus quer fazer na vida daqueles que não o conhecem. Numa visão, o profeta Ezequiel vê um vale cheio de ossos secos e empoeirados, que representam a nação de Israel exilada. Depois de mostrar a Ezequiel o que queria fazer, Deus ordenou-lhe para orar por um milagre:

> A seguir ele me disse: "Profetize ao espírito; profetize, filho do homem, e diga-lhe: Assim diz o Soberano, o Senhor: Venha desde os quatro ventos, ó espírito, e sopre dentro desses mortos, para que vivam". Profetizei conforme a ordem recebida, e o espírito entrou neles; eles receberam vida e se puseram em pé. Era um exército enorme!
>
> Ezequiel 37:9-10

Seu cônjuge incrédulo é exatamente como aquele vale de ossos secos. Ele precisa de um milagre para encontrar a salvação. Não pode consertar o que está quebrado. Precisa de um ato da graça. Em outras palavras, ele(a) precisa do vento de Deus para soprar vida em sua alma. Ore por isso por ele(a). Deixe-me dar um exemplo de alguns trabalhos do poderoso vento de Deus.

Vários anos atrás, orei para que certo homem participasse de um acampamento cristão de uma semana comigo. Foi uma oração grande e audaciosa, porque o homem era um incrédulo muito hostil. Senti que, se esse sujeito saísse de seu meio para um ambiente cristão seguro por alguns dias, Deus falaria com ele. Mas, quanto mais eu orava, mais o homem se recusava a participar.

Enquanto estava deixando a cidade a caminho do campo, eu senti que deveria mudar meu caminho para passar pela casa do homem e fazer-lhe um convite final. Era início de junho, e uma rara frente fria de verão estava soprando em nossa cidade. O tempo estava piorando depressa. O homem e eu estávamos no quintal da frente enquanto eu falava por que eu queria que ele participasse do acampamento. Em algum ponto da conversa, notei que, enquanto eu estava falando, as rajadas de vento que estavam na vanguarda da frente fria aumentaram. Parecia que, cada vez que eu falava, haveria outra rajada. Eu aproveitei a oportunidade e disse ao homem que o vento era o Espírito de Deus dizendo-lhe para ir ao acampamento. Eu disse a ele que, quanto mais ele resistisse, mais forte o vento iria soprar.

O que aconteceu depois me surpreende até hoje. Deus honrou minha fé e aumentou o volume do vento. Ele começou a uivar ao redor. Quanto mais falávamos, mais ele soprava. E, quanto mais ele soprava, mais eu dizia ao homem que Deus estava falando com ele. Dentro de poucos minutos, tivemos de gritar mais forte que o vento para ouvir um ao outro. Por fim, após cerca de 20 minutos de negociações conduzidas pelo vento, o homem colocou a mão no meu ombro e gritou: "Diga a ele para parar! Eu vou." E ele se tornou cristão no acampamento.

Você quer que o vento de Deus sopre vida na alma morta de seu marido? Fale com o vento do Espírito de Deus como Ezequiel fez. Peça a Deus para soprar o poderoso Espírito na vida do seu marido com grande força e fúria, até que ele venha a crer.

Comece a orar por seu casamento

Ore Ezequiel 37:9 por seu cônjuge descrente:

Vem, ó vento de Deus, e sopra tua vida na alma do meu cônjuge.

Ore para que o Espírito Santo convença seu cônjuge. No Novo Testamento, nos é oferecido um olhar particular sobre a ação do Espírito Santo na vida de um incrédulo. Jesus nos ensinou que o Espírito faz um trabalho muito específico quando se trata de lidar com os espiritualmente perdidos. "Quando ele vier, convencerá o mundo do pecado, da justiça e do juízo" (João 16:8). Jesus prometeu que seu Espírito de forma diligente buscaria e convenceria aqueles cujos corações forem frios com relação a ele.

Lembre-se de que convicção é uma coisa boa. Você quer que o Espírito Santo convença sua esposa (ou seu marido) rebelde. A convicção do Espírito mostra a ela que lhe está faltando alguma coisa. Ele fala-lhe a respeito de Jesus, sobre sua necessidade de justiça e sobre a vinda do julgamento para todos os que não creem. Ore para que ela seja convencida pelo Espírito de Deus.

Uma palavra de advertência: cônjuges convencidos são cônjuges irritados. Uma mulher sob a convicção de Deus não será algo feliz de retratar. Como o Espírito Santo cria a desarmonia na vida de um descrente, ele geralmente se torna mais irritável. Espere por isso, e não se surpreenda se as coisas ficarem um pouco instáveis à medida que o Espírito fizer sua santa obra. É um sinal de que Deus está trabalhando na vida de seu cônjuge.

Comece a orar por seu casamento

Ore para que o Espírito de Deus crie o caos na vida de seu cônjuge descrente. Peça-lhe para tirar tudo o que ela considera para seu conforto e valor pessoal. Peça ao Espírito para mostrar a ele sua necessidade de Jesus.

Ore para que a mente de seu marido seja iluminada com a verdade de Jesus. Há um texto decisivo em 2Coríntios que nos fornece uma visão útil para a situação dos descrentes. Segundo Paulo, os incrédulos são cegos espiritualmente: "Mas, se o nosso evangelho está encoberto, para os que estão perecendo é que está encoberto. O deus desta era cegou o entendimento dos descrentes, para que não vejam a luz do evangelho da glória de Cristo, que é a imagem de Deus" (4:3-4). Satanás, o arqui-inimigo de Cristo, cega as mentes de todos os seres humanos à verdade de Cristo. Você notou o que Satanás cega? Suas *mentes*. As pessoas frequentemente rejeitam a Cristo porque não consideram que a mensagem cristã faça sentido. Elas têm dificuldades para chegar a um acordo com Cristo em um nível racional.

Não é irracional crer em Cristo. A Bíblia ensina repetidamente que a crença em Deus e em Cristo é onde a sabedoria e o conhecimento verdadeiros começam. Fé e razão não são mutuamente exclusivas. Se o seu marido incrédulo aceita a Cristo, então ele terá de entregar a mente para Jesus.

Ore contra a cegueira que Satanás tem infligido ao seu marido (ou à sua esposa). Ore para que ele veja a lógica por trás da fé. Peça a Deus para expor as mentiras que o tem enganado e impedido de ter fé. Ore para que ele seja capaz de enxergar a verdade de Jesus.

Comece a orar por seu casamento

Ore 2Coríntios 4:4 por seu cônjuge:

Senhor, por favor remove as vendas da mente de meu cônjuge. Ajuda-o a ver a verdadeira luz do evangelho de Cristo.

Ore para que você seja uma influência positiva para sua esposa. Há um fator "sal e luz" que pode acontecer em um casamento entre um cristão e um descrente (ver Mateus 5:13-16). Ser sal ou luz não é uma razão justificável para se casar com um descrente, mas, se você já está casado com um, ore para que Deus use sua santa presença em você como um fator santificador para sua esposa.

Em 1Coríntios 7, Paulo oferece um comentário interessante sobre como um cônjuge incrédulo pode ser influenciado a crer pelo parceiro cristão: "Pois o marido descrente é santificado por meio da mulher, e a mulher descrente é santificada por meio do marido. Se assim não fosse, seus filhos seriam impuros, mas agora são santos" (v. 14). Inúmeros galões de tinta foram derramados ao longo dos séculos pelos estudiosos que tentaram decifrar o que exatamente Paulo queria dizer com essas palavras. Para nossos propósitos, vamos concordar que ele simplesmente quis dizer que Deus pode usar a santidade de um cônjuge cristão para impactar e influenciar o coração de um incrédulo. O texto não está dizendo que é seu o trabalho de salvar o cônjuge perdido. Esse é o trabalho de Deus. Mas é seu trabalho ser um santo exemplo da graça de Deus para seu parceiro. Como cristãos, precisamos ser brilhantes exemplos da misericórdia de Deus para as pessoas perdidas à nossa volta, especialmente para os cônjuges incrédulos.

Pedro dá instruções específicas para mulheres casadas com homens descrentes: "Do mesmo modo, mulheres, sujeite-se cada uma a seu marido, a fim de que, se ele não obedece à palavra, seja ganho sem palavras, pelo procedimento de sua mulher, observando a conduta honesta e respeitosa de vocês" (1Pedro 3:1-2). Ele lhes disse que o maior impacto que poderiam exercer sobre os maridos viria através de suas vidas, e não de suas palavras. Se você é casado(a) com um incrédulo, lembre-se dessa verdade. Será sua piedosa e humilde submissão a Cristo que chamará a atenção de seu cônjuge, e não os seus argumentos persuasivos.

Comece a orar por seu casamento

Peça a Deus para fazer de você uma santa presença em sua casa. Ore para que sua piedade, humildade e alegria tenham um efeito profundo em sua esposa. Ore para que sua caminhada cristã seja uma ajuda, e não um obstáculo, para que ela encontre Cristo.

Ore para que Deus cerque seu cônjuge com seu povo. Você provavelmente não é a pessoa que irá ganhar seu cônjuge para Cristo. É evidente que você tem um papel a desempenhar, como impactá-lo com a sua obediência e piedade, mas provavelmente haverá outros que carregarão o fardo de ajudar seu companheiro a enxergar a verdade de Jesus. Ore por essas pessoas. Ore para que Deus envolva seu cônjuge com discípulos de Cristo fortes e maduros.

Há um homem em nossa igreja que afirma ser agnóstico. Ele também é um músico talentoso. Sua esposa, cristã, tem feito um grande trabalho amando seu marido, sem pregar para ele, e apresentando-o aos outros cristãos de nossa igreja. Ele uniu-se a uma de nossos grupos de música e participa dos cultos com regularidade. Ele está sempre presente aos ensaios, devocionais e orações dos eventos. Ele nos ouve repreender Satanás e orar pela misericórdia e pela graça de Deus. Ele desenvolveu várias amizades na equipe.

O homem ainda não é cristão, mas está caminhando nesse sentido. Se alguém perguntasse, ele responderia que a igreja se tornou uma grande parte de sua vida. Ele é mais comprometido com a igreja do que alguns de nossos membros! Acredito firmemente que em breve estarei nas águas com ele em seu batismo. O exemplo de sua piedosa esposa, suas orações fiéis e o impacto de muitos outros cristãos estão ajudando esse homem a superar seu ceticismo espiritual.

Comece a orar por seu casamento

Peça a Deus três amigos cristãos para seu cônjuge. Ore para que ele venha a confiar neles, aprender com eles e ser positivamente influenciado por eles. Comece a orar pelo dia em que vocês vão celebrar juntos o batismo de seu cônjuge.

Um evangelista itinerante

Você quer saber o que aconteceu com Eddy e Lynn Siroin, o casal que mencionei no início deste capítulo? Será que Deus respondeu às orações de Lynn a favor de Eddy?

Lynn decidiu ser batizada como um ato de obediência a Cristo. Ela tinha sido batizada quando criança, mas não como uma discípula de Cristo. Em setembro de 2003, a cerimônia aconteceu em sua piscina do quintal, como uma declaração de sua fé em Cristo. Eddy estava entre aqueles que observavam à beira da piscina naquele dia. A obediência de Lynn deu início a um efeito dominó de bênçãos em sua vida e a na de Eddy. No início de 2004, Eddy estava pronto para seguir a Cristo também. As orações de Lynn e sua consistente obediência ajudaram a criar um ambiente para que o Espírito Santo trabalhasse no coração de seu marido. Em março de 2004, Eddy foi batizado na mesma piscina do quintal onde sua esposa tinha sido batizada havia apenas seis meses. Deus mudou seu coração, e ele usou as orações de um cônjuge fiel para fazer isso.

Hoje Eddy e Lynn educam seus dois filhos e viajam pelo país promovendo seu negócio familiar de trailers. Como faço parte da crescente lista da mala-direta que Eddy mantém, recebo um e-mail dele todos os dias. Ele não só nos informa em que local dos Estados Unidos a família Siroin está naquele dia, mas também nos envia um versículo da Bíblia. Ele é como um evangelista itinerante.

A oração funciona.

Ore poderosamente hoje

- Ore para que seu cônjuge tenha um encontro inconfundível com o Espírito Santo. Ore por uma emboscada santa.
- Peça a Deus para mostrar ao seu cônjuge sua necessidade de perdão. Ore para que ele(a) se torne cônscio(a) de seu pecado e seja julgado(a) por ele.
- Ore por humildade para seu cônjuge. Ore para que ele(a) venha a humilhar-se diante de Deus.
- Ore por você. Peça a Deus para torná-lo(a) paciente, amoroso(a), e não acusador(a), enquanto seu cônjuge enfrenta os dilemas de sua fé.
- Ore para que você seja um exemplo piedoso e irreprimível de fé cristã.
- Ore todos os dias pela salvação de seu cônjuge. Agradeça a Jesus por morrer por ele(a) e peça-lhe para libertá-la(o).

Versículos para orar por você e por seu cônjuge descrente

- Isaías 49:26: *Pai, tu prometeste que libertarias prisioneiros de guerra. Eu apresento meu marido diante de ti como um prisioneiro e te peço que o libertes. Luta contra o inimigo que batalha contra a sua salvação, e, por favor, salva-o.*

- Lucas 4:18-19: *Senhor Jesus, foste ungido pelo Espírito de Deus para anunciar boas notícias aos pobres, para proclamar liberdade aos presos e recuperação da vista aos cegos, para libertar os oprimidos e para proclamar o ano da bondade de Deus. Jesus, por favor, realiza esses objetivos na vida da minha esposa. Por favor, proclama a salvação para ela.*
- Mateus 5:13-14: *Senhor Jesus, por favor, ajuda-me a ser um fator de preservação e purificação no meu casamento, como o sal. Ajuda-me a ser uma luz que brilha para a glória de Jesus em minha casa.*

Uma oração pelo casamento

Santo Deus, eu oro por meu marido. Peço-te que abras os olhos dele e ajuda-o a ver a verdade de tua Palavra. Por favor, liberta-o da tirania de Satanás, que atualmente reina em sua vida. Sei que ele está cativo, então te peço para libertá-lo. Eu oro para que tu me mortifiques e me capacites a amar e servir sem julgar ou pregar para ele. Que minha vida seja um exemplo de teu amor e misericórdia para com ele. Peço-te para fazer o que for necessário através de mim para conquistá-lo. Eu submeto minha vida totalmente a ti como um sacrifício. Por favor, toma-a e usa-a para trazer a salvação ao meu marido. Em nome de Jesus. Amém.

CAPÍTULO 10

ORANDO POR PROTEÇÃO

RECENTEMENTE, PAREI EM UM McDonald's para comprar duas xícaras daquele fantástico café. Minha esposa e eu temos o hábito de tomar o café do McDonald's, e todas as manhãs antes do amanhecer estou lá no *drive-thru* comprando nossa dose diária. Nesse dia, enquanto entrava no *drive-thru*, notei uma mulher sorrindo para mim no interior da loja. No início, isso não pareceu estranho, mas, quando passei pela última janela, ela continuou olhando para mim.

Meu primeiro pensamento foi: "Que agradável; esta mulher está me dando um sorriso amigável de manhã." Mas, quanto mais ela olhava, mais estranho eu me sentia. Ela manteve seu olhar em mim durante vários segundos, e eu estava ficando cada vez mais desconfortável. Meus pensamentos mudaram para: "Aquela mulher está flertando comigo." Ela era atraente, estava sorrindo para mim e não fez nenhuma tentativa de ser sutil ou desviar o olhar. Eu estava prestes a ligar para meu pastor associado quando fiz uma descoberta perturbadora: a mulher era um cartaz. Pendurada na janela do McDonald's estava uma imagem em tamanho natural de uma bonita mulher cumprimentando os compradores de café da manhã com um amistoso sorriso. De alguma forma eu tive não só a impressão de que ela era real, mas também de que estava flertando comigo. Está bem! Eu não sou a pessoa mais inteligente do mundo. Vou apenas culpar a luz fraca do amanhecer e minha condição antes do café.

O pecado ameaça à porta

A tentação está em todos os lugares. Uma tentação verdadeira. As coisas que enfrentamos todos os dias são muito mais graves do que meu engano com um cartaz na janela. Você não tem de procurar muito para encontrar múltiplas oportunidades para estragar seu casamento. Colegas de trabalho, viagens de negócios, vizinhos paqueradores e até mesmo membros da igreja excessivamente amistosos nos oferecem ampla oportunidade para nos envolvermos em relações inapropriadas. Adicionado a isso está o fluxo interminável de programas de televisão e filmes que glorificam o sexo e desabonam o casamento, bem como a pornografia na internet, que oferece exposição a praticamente qualquer tipo de desvio e expressão sexual na privacidade de seu próprio computador.

Mas isso não é tudo. A tentação nos dias de hoje pode ser muito mais sofisticada. Agendas lotadas, anos de raiva e frustração reprimidas, imaturidade e disfunção emocional, a dependência dos filhos ou uma relação não saudável podem produzir cardápio de opções para Satanás escolher quando pretender inviabilizar nossos casamentos.

Em meio a todas essas oportunidades para o fracasso do casamento, aqui vai uma grande oração pela proteção do casamento: "E não nos deixes cair em tentação, mas livra-nos do mal" (Mateus 6:13). Esse pedido é tirado diretamente da Oração do Senhor. Em uma declaração abrangente, Jesus dá-nos uma arma poderosa contra o ataque de Satanás. Dividida em duas partes, essa oração se torna duas petições proativas que você pode adicionar ao seu arsenal de orações pelo casamento.

Senhor, ajuda-nos a fugir da tentação. Ore por discernimento para reconhecer a tentação antes que ela chegue e corra como um louco sempre que reconhecê-la. Frequentemente gostamos de flertar com a tentação. Queremos chegar perto o suficiente para sentir a adrenalina do lado prazeroso do pecado, mas não perto o suficiente para nos queimarmos. No que se refere ao fascínio de uma mulher adúltera, Salomão advertiu: "Fique longe dessa mulher; não se aproxime da porta de sua casa" (Provérbios 5:8). Em outras palavras, fuja! Não tente ver o quão perto você pode chegar da tentação sem cruzar a linha. Apenas fuja.

Ore para que você e seu cônjuge vejam a tentação pelo que ela é. Lembre-se do que Jesus disse sobre Satanás em João 10:10 — ele vem para roubar, matar e destruir. Não lhe dê a chance. Ore para que vocês dois fujam quando a tentação chamar.

Senhor, protege-nos de Satanás. Talvez você já tenha ouvido esta declaração: Deus ama você e tem um plano maravilhoso para sua vida. Bem, a afirmação oposta de Satanás é verdadeira: ele odeia você e tem um plano terrível para sua vida, incluindo seu casamento. Todo casal cristão que almeja ter um casamento que honre a Deus precisa estar ciente de que Satanás está determinado a atacar seu relacionamento. Se puder, ele irá destruí-lo. Poucas coisas honram mais a Deus do que um casamento centrado em Cristo; poucas coisas atraem mais a ira de Satanás.

Não se deixe intimidar por Satanás. Deus deu-lhe tudo de que você precisa para evitar ataques de Satanás. Mas não sejam ingênuos. Orem todos os dias pela proteção de Deus, incluindo os estratagemas de Satanás em seu casamento.

Comece a orar por seu casamento

Faça a Oração do Senhor regularmente por seu casamento. Peça a Deus para construir o Reino e fazer a vontade dele em seu casamento. Peça-lhe para suprir as necessidades de seu casamento, para perdoar seus pecados, para ajudá-lo a perdoar seu cônjuge, e para proteger seu casamento contra o mal.

Ore pela proteção de seu casamento

Vamos começar a orar para que nos protejamos dos inimigos mais comuns do casamento. O profeta Oseias, que viveu no século VIII a.C., orou para que Deus colocasse espinheiros em torno de sua esposa, Gômer, para que ela ficasse segura e a tentação não entrasse (ver Oseias 2:6). Vamos fazer a mesma oração por nossos casamentos. A seguir estão não só algumas das ameaças mais comuns ao casamento que diariamente observo na vida dos casais cristãos, mas também as formas bíblicas para orar contra elas.

Amargura e falta de perdão. "Eu não a amo mais. Essa é a conclusão. Eu apenas não a amo." As coisas não estavam indo bem naquela sessão de aconselhamento. O homem sentado diante de mim era membro da igreja que eu lidero, porém, mais do que isso, ele estava se tornando um amigo. Eu tinha notado os sinais sutis que podiam levar seu casamento a atravessar mares agitados, então perguntei se poderíamos nos encontrar para conversarmos sobre o assunto. Felizmente ele aceitou, mas é aqui que acabam as boas notícias.

Esse rapaz era um problema. Anos de conflitos não resolvidos e falta de perdão tinham transformado suas entranhas em um mingau emocional. Ele estava gravemente ferido e nem sequer sabia disso. Também estava com raiva — raiva de Deus, de seus pais, da igreja e, acima de tudo, de sua esposa. Não me admira que seu casamento estivesse com problemas.

O vírus da amargura infectou seu casamento? Depois que ela se enraíza, pode ser devastador para o relacionamento. É por isso que Paulo ordenou aos cristãos em Éfeso:

> Livrem-se de toda amargura, indignação e ira, gritaria e calúnia, bem como de toda a maldade. Sejam bondosos e compassivos uns para com os outros, perdoando-se mutuamente, assim como Deus os perdoou em Cristo.
>
> Efésios 4:31-32

Paulo sabia o quão prejudicial a falta de perdão e a amargura poderiam ser. Ele tinha visto isso demolir igrejas e destruir casamentos. Eu também já vi. Você não pode se permitir transferir o fardo da amargura ao seu cônjuge. Você pode muito bem estar injetando veneno em suas veias.

Ore por um espírito de perdão. Ore por humildade. Ore pelo dom de quebrantamento. Peça a Deus para revelar-lhe seus pecados e lhe ajudar a tirar os olhos dos pecados de seu cônjuge. Ore para que Deus ajude você a ver seu cônjuge com os olhos dele — com amor e compaixão.

Ore também para que você tenha a coragem de enfrentar a amargura e a falta de perdão no casamento. Ore, antes de tudo, pela capacidade de ter conversas significativas sobre o *porquê* de a mágoa existir. Peça a Deus para ajudar você a obter aconselhamento, a buscar um conselheiro matrimonial, a falar com um pastor ou a fazer o que for necessário para sair da mágoa e ir para a luz.

Recentemente, conduzi um estudo bíblico para alguns casais. Em uma das sessões, uma das esposas compartilhou que ainda estava magoada por causa uma má decisão comercial que seu marido tinha tomado anos antes. Eles nunca conversaram sobre isso, e a raiva estava envenenando tanto a ela quanto ao casamento. Sua confissão foi um bom primeiro passo para a cura.

A amargura é uma vencedora muito comum em casamentos cristãos. Ore para que ela não tenha lugar no seu.

Comece a orar por seu casamento

Se você está com raiva de seu cônjuge ou sente amargura, ore a Deus para que derrame sua graça sobre ele ou ela. Suas orações lhe darão humildade e alterarão seu coração em relação ao seu cônjuge.

Estar ocupado. Estar ocupado é uma ameaça insidiosa ao casamento porque é muito sutil. Os casais que iniciam a relação com comprometimento e profundo amor podem tornar-se frios, endurecidos e indiferentes ao longo dos anos, simplesmente porque estão muito ocupados para cultivar um relacionamento saudável. Trágica e ironicamente, eles estão ocupados procurando trabalhar para "melhorar" as próprias vidas.

Você gostaria de ser lembrado como o personagem bíblico que estava ocupado demais para Jesus? Por mais de dois mil anos, esse é o rótulo que esteve preso em Marta, irmã de Lázaro e Maria. Enquanto Jesus estava sentado e instruía uma multidão de ouvintes ávidos, incluindo Maria, Marta ocupava-se com os preparativos do jantar. Não é o que muitos de nós fazemos no casamento? Temos pressa para voar de cidade em cidade, trabalhar até tarde da noite e fins de semana, passar noites com os clientes e virar a noite com projetos, enquanto a pessoa de nossos sonhos vai dormir noite após noite em uma cama meio vazia.

Por favor, não caia na armadilha da ocupação. Nada que você está buscando vale a pena se danificar seu casamento. Nada. Certa vez, conheci um casal muito rico que decidiu construir uma casa enorme em um belo lote nas proximidades de Austin. Na verdade, foram dois lotes. Eles compraram duas casas, derrubaram as duas e construíram uma enorme mansão no lugar. A casa era a própria definição de exagero — um *home theater* gigante, *closets* do tamanho de quartos da maioria das pessoas, boxes de banheiro com vista para a montanha, uma central de alta segurança, um quarto com isolamento total à prova de terremotos, tudo isso em um condomínio fechado. A esposa viajou o mundo para encontrar as peças certas para os últimos retoques da casa — uma antiga calha de chuva de Roma, brita de granito da Turquia, uma peça de arte exclusiva do Brasil.

O casal gastou mais de dois anos e vários milhões de dólares para construir a casa. O marido trabalhava em tempo integral para pagar as hipotecas, enquanto a esposa trabalhava em tempo integral supervisionando a construção. Eles sabiam que o casamento estava sendo prejudicado, mas imaginavam que o sacrifício valeria a pena quando se estabelecessem em sua nova casa de luxo.

Quando a casa foi finalmente concluída, o casal ainda fez uma cerimônia para dedicá-la à glória de Deus. Brindaram a casa com champanhe caro e oraram pela bênção de Deus sobre a nova residência. A esposa chorava. Ficou tudo muito bonito.

Dois meses depois, a esposa pediu que o marido fosse embora. Ele foi logo substituído por outro homem, e o divórcio se concretizou alguns meses mais tarde. Agora, a esposa se foi, e outra pessoa possui aquela casa dos sonhos.

Ore para que Deus proteja você das armadilhas de estar ocupado demais. Ore para que o tempo e a intimidade com seu cônjuge sejam sempre uma prioridade maior do que estar ocupado acumulando coisas legais. Peça a Deus para que você fique satisfeito(a) com o que tem.

Comece a orar por seu casamento

Ore para que você seja o próximo a ser um obediente seguidor de Cristo e para que cultivar um casamento saudável seja sua prioridade mais importante.

Pornografia. Um membro da igreja chamou-me recentemente, pedindo conselhos. Ele tinha acabado de descobrir que o pai, um antigo líder em sua igreja, era viciado em pornografia. E queria saber como ajudá-lo. Eu gostaria de poder dizer que fiquei chocado com a história, mas não fiquei.

Com o advento da internet, a capacidade do homem para acessar pornografia tornou-se assustadoramente conveniente. Digo "a capacidade do homem" porque a experiência e as estatísticas me informam que poucas mulheres gastam tempo pesquisando material sexualmente explícito. Trata-se, quase exclusivamente, de um pecado relativo aos homens. As consequências desse pecado, no entanto, não estão limitadas apenas aos usuários do sexo masculino. Famílias, igrejas, empresas, agências governamentais e líderes políticos, todos têm sentido o impacto desse crescente vício norte-americano em sexo pela internet.

Há pouco tempo, em Austin, vários paramédicos do Serviço Médico de Emergência foram demitidos depois que foram pegos usando computadores públicos para acessar sites pornográficos. A pornografia — objetificação das mulheres, glorificação do sexo e legitimidade da mentalidade da libido masculina — tornou-se difundida em nossa cultura. A preocupação dos Estados Unidos com o sexo lembra as histórias de culturas que falharam moralmente, como a dos gregos, a dos romanos e as culturas que pontilhavam a paisagem nos séculos antes de Cristo — todas já não existem mais.

Não tenho nenhuma dúvida de que a maior ameaça à saúde e à segurança interna dos Estados Unidos é a redefinição de nosso DNA sexual através do rápido crescimento do desvio sexual e do descarte coletivo dos padrões sexuais fornecidos por Deus. Muitos de meus colegas de todo o país compartilham de minha convicção. O discípulo Pedro poderia perfeitamente estar falando sobre nossa cultura quando escreveu: "Estejam alertas e vigiem. O Diabo, o inimigo de vocês, anda ao redor como leão, rugindo e procurando a quem possa devorar" (1Pedro 5:8). Os homens estão sendo devorados diariamente, e seus próprios apetites descontrolados os estão matando.

Preciso ser muito claro aqui. Não estou dizendo que não existem outras tentações graves que as pessoas casadas enfrentam todos os dias. Nós todos sabemos que existem. Pelo contrário, estou dizendo que a pornografia na internet, as salas de bate-papo de conotação sexual, e sites que promovem a homossexualidade, a pedofilia e outros desvios sexuais têm tido a capacidade de impregnar a mente do homem com imagens de tais perversões de uma forma inteiramente nova e devastadora. Romanos 1:18-32, ensina claramente que, quando uma nação ignora os padrões de sexualidade de Deus, sua própria destruição cultural não está muito longe. Meu medo é que estejamos vendo as profecias assustadoras dessa passagem se cumprindo diante dos nossos olhos.

Você prestou atenção à instrução que Pedro deus aos seus leitores antes de emitir sua advertência? "Estejam alertas." O desejo sexual não tem de triunfar em sua vida, no casamento ou na nação. Como qualquer outro desejo dado por Deus, ele pode ser disciplinado e controlado. Então ore. Ore para que Deus proteja sua casa da influência da pornografia. Ore para que seu relacionamento sexual seja saudável e gratificante para você e seu cônjuge. Peça a Deus para dar-lhe a disciplina para controlar esses seus desejos rebelados. Ore para que você odeie o pecado e qualquer imagem, vídeo ou cena que desonre a Deus.

Comece a orar por seu casamento

Ore para que Salmos 101:3 seja verdade para você e seu cônjuge:

Senhor, não porei coisa torpe diante dos meus olhos.

Resistindo

A boa notícia é que você não tem de se sentar e esperar que essas tentações o procurem. Você pode tomar a ofensiva e colocar em ação um plano de batalha que irá fortalecer e proteger seu casamento. Esse plano envolve orar especificamente. Para se preparar para combater o inimigo, você precisa aprender três princípios bíblicos importantes.

1. *O poder do sangue de Jesus.* Em Êxodo 12:21-23, como parte da preparação para a libertação dos israelitas da nação do Egito, Deus instruiu o líder de cada casa a passar o sangue de um cordeiro sacrificado sobre os batentes da porta da casa. Na primeira Páscoa, o sangue do cordeiro protegia cada primogênito dentro de cada casa, do aguilhão do anjo da morte que visitou o Egito naquela noite terrível. O sangue sobre os batentes das portas das casas identificava seus ocupantes como povo de Deus.

O Novo Testamento ensina que Jesus é o Cordeiro de Deus, cujo sangue foi derramado de uma vez por todas pelos pecados da humanidade. Ele foi o supremo sacrifício pascoal. Seu sangue tem mais poder do que o de qualquer cabra, touro ou cordeiro. O sangue de Jesus abriu o caminho para nosso acesso a Deus e abrange todos os pecados da humanidade.

Quando você orar pelo casamento, ore para que o sangue de Jesus assinale os batentes da porta de sua casa. Peça que sua casa seja claramente identificada como uma casa onde o povo de Deus reside. Ore para que o sangue de Cristo proteja sua casa e seu casamento do ataque de Satanás.

Comece a orar por seu casamento

Ore para que o poder do sangue de Jesus cubra sua casa.
Peça a Deus para marcá-lo como seu povo.

2. *Resistir ao diabo*. Há alguns anos, Susie e nossas filhas fizeram uma aula de autodefesa com uma instrutora de tae-kwon-do que frequenta nossa igreja. Antes de a instrutora lhes ensinar quaisquer movimentos, chutes ou socos, ela deu-lhes uma pequena palestra. Ela basicamente disse: "Eu quero que vocês determinem agora, hoje, que se estiverem sendo atacadas, vão reagir. Vocês não podem esperar até serem surpreendidas por um potencial criminoso para decidir o que farão. Vocês têm de ter um plano de ação muito antes de a luta sequer começar. Decidam neste momento que vocês lutarão e resistirão. Nunca desistam."

É um ótimo conselho e aplica-se à nossa luta pelo casamento também. Se você está em um casamento cristão, a questão não é *se* você será atacado, mas *quando*. A tentação virá. As armadilhas serão colocadas. Oportunidades para o pecado aumentarão. Em vista disso, decida agora que você irá resistir. Saiba que Satanás irá lhe atacar, e você sabe que pode vencê-lo por causa do poder de Jesus (ver 1João 4:4). Planeje resistir e planeje prevalecer.

Tiago 4:7 é a sua promessa bíblica para resistir a Satanás: "Portanto, submetam-se a Deus. Resistam ao Diabo, e ele fugirá de vocês." Quando as provações do casamento chegarem, lembre ao Diabo que seu casamento pertence a Deus. Diga-lhe, em nome de Jesus, que ele tem de lhe deixar em paz. Agradeça a Deus todos os dias pela vitória que você tem sobre Satanás em seu casamento. Ore para que você e seu cônjuge saibam como e quando resistir ao Diabo juntos em oração.

Comece a orar por seu casamento

Peça a Deus para repreender o demônio em prol de sua família (ver Judas 9). Ore para que ele defenda você dos maus caminhos de Satanás. Peça ousadia e fé para resistir a Satanás no santo nome de Jesus.

3. *Caminhar e orar*. Há uma poderosa promessa que Deus dá a Josué, o novo líder espiritual dos israelitas, na véspera da sua incursão à Terra Prometida: "Como prometi a Moisés, todo lugar onde puserem os pés eu darei a vocês" (Josué 1:3). Em outras palavras: "Onde quer que você andar, onde quer que as solas dos seus pés pisem, reivindique-o a mim, e eu o darei a você." Eu já orei esse versículo por minha família e o coloquei em prática em inúmeras ocasiões.

Recentemente fui acordado no meio da noite pelo sistema de alarme de nossa casa. Sacudindo a névoa de sono, fiz um inventário mental rápido das possíveis razões para o alarme ter soado. O culpado mais comum seria meu filho em idade universitária, que frequentemente chega muito depois de termos ido deitar. No entanto, ele estava na faculdade. Eu não conseguia pensar em outra boa razão para o alarme estar soando às três da manhã. Então saí da cama, reiniciei o alarme e comecei a procurar por algo estranho na casa.

Todas as portas estavam bem trancadas; todas as janelas, bem fechadas. Essa era uma boa notícia, mas parecia estranho. O sistema de alarme nunca soou sem razão. Algo sempre o aciona. Mas, nessa ocasião, não consegui encontrar a fonte. O medo começou a pregar peças em minha mente. "Tem alguém em casa? Tem alguém lá fora tentando entrar? Será que vou ter de lutar para proteger minha família? Será que eles estarão seguros?" De repente me vi tomado por uma sensação de pavor.

Então, pela graça de Deus, meus instintos espirituais intervieram. Comecei a andar pela casa invocando Josué 1:3. Pedi ao Senhor para designar nossa casa como sua e proteger cada centímetro que meus pés percorressem. Fui aos quartos de minhas filhas e orei sobre elas. Orei com Susie. Pedi a Deus para proteger nossa casa e para cobri-la com o sangue de Jesus. Eu repreendi Satanás em nome de Jesus e lhe disse que ele não tinha autoridade em minha casa.

Algumas semanas depois, ficamos sabendo que um grupo de ladrões estava assaltando nosso bairro. Eles estavam arrombando casas à noite, amarrando os ocupantes e saqueando as casas. Eu não sei se eles acionaram nosso alarme naquela noite, mas sei que Deus usou a ocasião para lembrar-me de percorrer regularmente minha casa e orar.

Há um ladrão espiritual sempre à procura de um caminho em sua casa (ver João 10:10). Ore por proteção contra ele.

Comece a orar por seu casamento

Ande por sua casa e ore para que uma barreira de proteção sobrenatural seja colocada em torno dela. Peça a Deus para santificar cada centímetro quadrado dela. Lembre Satanás, em nome de Jesus, de que ela é propriedade de Deus, e peça a Deus para livrá-lo dos maus caminhos de Satanás.

Ore poderosamente hoje

A combinação de orar para que o sangue de Jesus cubra sua casa, resistir ao diabo em nome de Jesus, e caminhar e orar por sua casa é um trio poderoso àqueles que querem ungir seu casamento em oração. Essas três orações específicas ajudarão você e seu cônjuge a mais bem se prepararem para prevalecer sobre as tentações matrimoniais que inevitavelmente virão. Aqui estão algumas outras sugestões:

- Ore as Escrituras por sua casa. Encontre versículos que falem sobre o tipo de casa que você quer ter e ore regularmente.
- Ore sobre as potenciais fontes de tentação em sua casa. Ore sobre a televisão e o computador. Ore também na sala de jantar, na sala de estar e nos quartos. Peça a Deus para santificá-los.
- Ore pelo seu cônjuge para que seja terra santa. Peça a Deus para estar plenamente entronizado e para sua glória ser plenamente manifesta na vida de seu cônjuge.
- Ore para que você e seu cônjuge estejam prontos a perdoar. Peça a Deus para protegê-lo de qualquer amargura ou rancor que possa se desenvolver entre vocês dois.
- Ore por ritmo adequado em suas vidas. Peça a Deus para ajudá-lo tanto a gerir bem seu tempo quanto a ser inflexível sobre a proteção de seu tempo juntos.
- Ore contra a pornografia. Ore para que ela não se instale em sua casa ou torne-se uma fortaleza em suas vidas.
- Ore para que você seja sábio e perspicaz ao lidar com pessoas do sexo oposto. Ore para que você fuja

depressa de qualquer tipo de tentação sexual ou comportamentos relacionais duvidosos.

Versículos para orar pela proteção do seu casamento

- Efésios 4:26-27: *Pai, ajuda-nos a aprender a processar nossa raiva e nossas divergências de forma adequada. Não permitas que demos espaço a Satanás para agir em nossa vida.*
- Oseias 2:6: *Santo Deus, por favor, coloca uma proteção em torno do nosso casamento para que não sejamos tentados a vaguear em pecado.*
- Jó 1:10: *Senhor, por favor, estabelece uma cerca de proteção em torno do nosso casamento, para que Satanás não possa nos prejudicar.*

Uma oração pelo casamento

Santo Deus, peço-te que protejas meu casamento. Estou plenamente consciente da batalha que estamos travando. Sei que Satanás quer destruir meu casamento. Peço-te que o repreendas. Coloca tua santa proteção sobre meu casamento. Ajuda-nos para que minha esposa e eu sejamos sempre humildes e sensíveis às sugestões de teu Espírito Santo. Ensina-nos a reconhecer a tentação e a fugir dela. Ajuda-nos a odiar o pecado e a resistir sempre ao Diabo em nome de Jesus. Cobre-nos com teu sangue sagrado e faz do nosso casamento uma terra santa. Eu oro por isso em nome de Jesus. Amém.

CAPÍTULO 11

ORANDO PELA MISSÃO DE SEU CASAMENTO

BRANDON PARKER É UM HOMEM JOVEM, bonito, atlético, com um braço de arremessador que poderia facilmente ser confundido com um canhão. Quando Deus estava distribuindo talentos, deu uma dose extra de unção para o braço direito de Brandon, e não demorou para que olheiros de beisebol profissional logo notassem. Fora da faculdade, Brandon começou uma carreira de sucesso como lançador, tanto para os times da liga principal quanto para os da liga independente. Menino nascido em uma pequena cidade do Mississippi, Brandon estava vivendo seu sonho. Ele estava sendo pago para jogar bola.

Porém, há mais para Brandon do que o beisebol. Ele é um poderoso homem de Deus que é apaixonado por Cristo. Ele cresceu na igreja e acabou por apaixonar-se pela filha mais nova do pastor — um líder cristão talentoso e igualmente apaixonado. O pai de Amber deu permissão para que Brandon se casasse com a filha, e o casal planejou celebrar o matrimônio na igreja local, a Igreja Cristã Vida Nova, em Pass Christian, no Mississippi. A data foi marcada para o outono de 2005. Amber e Brandon não poderiam sentir-se mais bem-aventurados — eles iriam se casar, ambos eram jovens piedosos e fariam parte do emocionante mundo do beisebol profissional.

E então o furacão Katrina chegou. A cidadezinha de Pass Christian sofreu impacto direto da tempestade. A bela e pequena vila, localizada a leste de Gulfport, foi atingida por ventos de 290 quilômetros por hora e inundada por uma onda de dez metros. Tudo foi devastado. Amber e Brandon, junto com o resto de sua família e os poucos moradores restantes de Pass Christian, acordaram no dia 30 de agosto de 2005 para uma nova realidade. A vida, os sonhos e as casas que eles amavam se foram. Grande parte da infraestrutura física do que foi Pass Christian foi parar no fundo da baía, no que se acredita ser um campo de destroços com a largura de cinco quilômetros, escondido abaixo da superfície da água.

Amber e Brandon foram logo apanhados na tempestade após a tempestade. Eles passaram a viver um precário cotidiano, dia após dia, tragédia após tragédia, uma existência de milagre após milagre, que perduraria a maior parte do ano. A Igreja Cristã Vida Nova, devido à sua localização e à grande extensão de seu terreno, tornou-se um centro de distribuição para os milhares de sobreviventes da tempestade, e para os trabalhadores humanitários que se dirigiram para a área. Amber e Brandon, juntamente com inúmeros outros, trabalharam longos dias e noites tentando reconstruir as vidas, lares, empresas e igrejas que haviam sido roubadas pela tempestade. Os dois se casaram, viajaram para uma breve lua de mel e voltaram ao trabalho.

Em seguida, os olheiros vieram chamá-lo de novo. Brandon, que havia ficado de fora do beisebol por um ano, foi convidado a jogar por uma equipe da liga profissional em Jackson, no Mississippi. Os olheiros ofereceram a Brandon mais do que apenas a oportunidade de jogar bola profissionalmente; ofereceram a ele e a Amber uma saída. A mudança para Jackson e a distração de uma carreira profissional iria libertá-los de ter de acordar todos os dias para a luta interminável que suas vidas tinham se tornado. Quem poderia culpá-los por aceitar o dinheiro, a segurança no emprego, a diversão e facilidade, e fugir para lá como loucos?

Mas eles não aceitaram a oferta. Brandon recusou-a e decidiu comprometer-se a servir à sua igreja e ao seu pastor e sogro por pelo menos um ano. Comprometeu-se a oferecer seus melhores esforços para reconstruir Pass Christian e construir o Reino de Jesus nela. Ele e Amber dedicaram o casamento à causa de Cristo e sua glória. Seja qual fosse o futuro, estavam nisso juntos com Jesus. Eles passaram os dois anos seguintes vivendo na Agência Federal de Gestão de Emergências e/ou em reboques doados, trabalhando para a igreja por pouca ou nenhuma remuneração, testemunhando a bondade de Deus e impactando a vida das pessoas de todo o país — incluindo a minha.

Qual é o propósito de seu casamento? Por que ele existe? Por que razão Deus uniu você e seu cônjuge? Foi só para fazê-lo feliz? Foi para procriarem e para ajudar a manter a terra bem povoada? Ou se trata de mais do que isso?

Comece a orar por seu casamento

Peça a Deus para usar seu casamento para tocar a vida de outros.

Até que a morte ou a infelicidade nos separe

Muitas pessoas se casam pelas razões erradas. Os cristãos não são exceção. Eles sobem ao altar com outra pessoa na esperança de encontrar algum nível mais elevado de satisfação. Essa é uma das razões pelas quais a taxa de divórcio nos Estados Unidos é tão alta — nos casamos pelas razões erradas e pedimos que o casamento nos dê algo que ele não pode.

Você já parou para pensar por que se casou, ou o que espera realizar no casamento? Aqui estão algumas declarações comuns que resumem os objetivos do casamento de muitos casais:

- *Nós queremos apenas ser felizes.* Não é um bom motivo para se casar. Casamento é trabalho duro e pode levar as pessoas a fases incrivelmente difíceis. Se a felicidade é o objetivo, o casamento pode ser uma grande decepção.
- *Queremos ter relações sexuais e não sentir culpa por isso.* Casais que sabem que o sexo antes do casamento é errado, mas não conseguem se controlar, muitas vezes citam isso como uma razão para se casar. Como vimos no capítulo 5, a intimidade sexual pode ser o menor nível de intimidade relacional — e não um bom motivo para se casar.
- *Queremos viver confortavelmente e ter uma boa aposentadoria.* Esse é um objetivo sutil de um número significativo de casamentos. Muitos cônjuges estão dispostos a trabalhar muito por longos anos para acumular coisas legais, sentirem-se seguros na aposentadoria e até mesmo deixar algo para os filhos e netos. Embora não haja nada de intrinsecamente

errado com esses motivos, eles não são particularmente metas nobres para o casamento.

- *Queremos ter uma significativa parceria ao longo da vida*. Esse é um bom desejo para o casamento e algo que Deus quer para ele, mas ainda está muito orientado para si mesmo. Deus deseja que você desfrute de décadas de profundos níveis de intimidade relacional, mas quer que você faça isso tendo como cenário um propósito de casamento que seja maior do que vocês dois.

Tudo isso é para... os outros

Você já pensou que Deus pode ter um propósito mais amplo para seu casamento, um propósito mais orientado para o Reino? Alguma vez você já orou por uma visão para seu casamento? Eu não me refiro a uma visão do que Deus quer fazer por você através do matrimônio. Estou falando daquilo que Deus quer fazer para os outros através de seu casamento. Estou falando sobre sua missão de sua união.

No início do livro eu apresentei Priscila e Áquilla, um empenhado casal cristão que trabalhou estreitamente com o apóstolo Paulo. Aqui está um resumo de Lucas de como eles inicialmente encontraram Paulo:

> Depois disso Paulo saiu de Atenas e foi para Corinto. Ali, encontrou um judeu chamado Áquila, natural do Ponto, que havia chegado recentemente da Itália com Priscila, sua mulher, pois Cláudio havia ordenado que todos os judeus saíssem de Roma. Paulo foi vê-los e, uma vez que tinham a

> mesma profissão, ficou morando e trabalhando com eles, pois eram fabricantes de tendas.
>
> Atos 18:1-3

Já observamos que esse casal cristão devia possuir uma relação relação matrimonial muito íntima, pois ambos estavam bastante maduros espiritualmente. Mas eu quero que você pense sobre outro aspecto do casamento deles que não consideramos antes: o ministério.

Priscila e Áquila formavam um casal voltado para o ministério. Embora trabalhassem como fazedores de tendas profissionais, sua verdadeira paixão era o ministério. Eles eram amigos íntimos e aliados do ministério de Paulo, assim como eram líderes de uma igreja doméstica em Corinto (ver 1Coríntios 16:19). Seu ministério assumiu um papel e uma missão que excedeu em muito suas próprias necessidades e desejos pessoais. Os dois tinham um casamento de alto impacto, voltado para os outros, e que acrescentou um elemento de aventura e missão em seu relacionamento. Tiveram a emoção de saber que Deus os estava usando para expandir seu Reino e abençoar a vida dos outros, e não eram apenas seguidores individuais de Cristo, mas também o seguiam como casal.

Como seu casamento seria diferente se você soubesse que você e seu cônjuge estão sendo utilizados para canalizar as bênçãos de Deus para os outros? Como suas conversas ou argumentos, hábitos de consumo, debates sobre as férias e planos de aposentadoria poderiam mudar se ambos se sentissem compelidos a cumprir o chamado de seu casamento? Ter uma missão no casamento acrescenta ainda mais profundidade à intimidade espiritual e emocional que discutimos nos capítulos anteriores. Duas vezes em Mateus, Jesus nos ensinou que, se quiséssemos encontrar a verdadeira vida, teríamos de perder a nossa (ver Mateus 10:39 e 16:25). O mesmo é verdadeiro para o casamento. Se você quer que tenha um profundo significado, comece a usá-lo para benefício de outros.

Comece a orar por seu casamento

Ore por uma visão de como Deus quer usar você e seu cônjuge para servir aos outros.

Os benefícios de ter uma missão no casamento

Duas crianças de sete anos que não se conhecem estão brincando lado a lado em um balanço no parquinho. À medida que cada uma das crianças balança mais alto, elas parecem estar indo no mesmo ritmo. Os pontos altos no início e no fim de cada cadência são idênticos. É como se as crianças estivessem balançando juntas, empurradas pela mesma mão invisível. As crianças, excitadas por sua colaboração mútua, começam a rir e a gritar a cada volta, enquanto continuam seu dueto oscilante. Quando terminam, saltam dos balanços juntos e correm para brincar com algo novo, agora como amigos.

Acredite ou não, essa interação lúdica, na verdade, tem um nome técnico: *sincronia interacional.* A sincronia interacional é o movimento cooperativo intencional realizado por mais de uma pessoa. Pode ser expresso em algo tão simples como uma conversa estimulante ou crianças balançando as pernas juntas sentadas lado a lado em uma mesa de piquenique. A sincronia interacional está presente no trabalho das dinâmicas de grupo de uma equipe de remo, de uma banda ou de uma dança coreografada. Psicólogos, sem entender por quê, acreditam que existe uma forte atração emocional entre os seres humanos que escolhem cooperar em vários níveis. E como você poderia esperar, quanto maior o nível de interação relacional, maior será o nível de ligação emocional que ocorre.

Eu acredito que o mais alto nível de sincronia interacional está na missão do casamento. O que poderia ser mais excitante, mais revigorante, e ter um vínculo mais emocional do que entre um homem e uma mulher cristãos que trabalham em conjunto com sua união para beneficiar a vida de outros? Tendo como cenário uma cultura que afirma que o casamento se resume à satisfação de suas necessidades, os casais que optam por usar a união para servir aos outros se destacam como luzes em um mundo sombrio. Além disso, o próprio nível de alegria e satisfação de um casal no matrimônio normalmente aumenta à medida que aprendem a utilizar suas forças compartilhadas para o Reino de Deus. Vamos examinar brevemente alguns dos benefícios de ter uma missão mútua de casamento.

Ter uma missão no casamento ajuda o casal a tirar os olhos de si mesmos. Sei que muitos casais cristãos de hoje, casais com significativo potencial do Reino, estão muito envolvidos em si mesmos. Toda a vida de casados gira em torno da próxima casa, das próximas férias, da educação dos filhos, das funções sociais, do próximo encontro com o *personal trainer* e da carteira. Por favor, note que eu não estou dizendo que essas coisas são inerentemente erradas. Estou dizendo que elas são lamentavelmente inadequadas para missões de casamento. Sem dúvida podemos encontrar melhores usos para o sincronismo de casamento.

Por outro lado, sei de muitos outros casais cristãos que aproveitaram seu casamento para propósitos sérios do Reino, e a cada dia eles veem o fruto de seu trabalho. Não só possuem a alegria de ver Deus usá-los, mas conhecem a emoção relacional e a intimidade que vêm apenas quando unem esforços para algo sagrado. Os casais que têm uma missão de casamento baseada no Reino têm mais motivos para viver do que aqueles que não conhecem uma união assim.

Ter uma missão no casamento lhe dá ainda mais motivos para lutar por ele. Casamento é difícil. Todos nós sabemos. Mesmo as uniões mais fortes passam por períodos de prova e dificuldade. Sem o fator unificador do Espírito Santo e um compromisso de aliança de amor, os casais podem muito facilmente decidir que sua atribuição no casamento é difícil demais.

Há pouco tempo, um conselheiro cristão me disse que está assistindo a uma "epidemia" de separações e divórcios entre casais cristãos. A parte mais trágica é que os casais têm muito poucas razões para pôr fim ao casamento. Não houve infidelidade ou abuso de qualquer tipo. Em vez disso, muitos casais estão optando por sair do casamentos nos dias de hoje porque não são felizes, ou não são suficientemente felizes.

Ter uma missão no casamento dá-lhe razões imperiosas não apenas para permanecer casado, mas para ter um casamento saudável. O marido e a esposa que estejam orientando jovens casais, conduzindo um estudo bíblico para não convertidos, servindo em funções de liderança na igreja, aplicando o tempo em missões por períodos curtos, ofertando quantias significativas de dinheiro para os ministérios, trabalhando com jovens problemáticos ou atuando como líderes de um ministério de oração entenderão o impacto que causarão se o casamento falhar. Casais com missões no matrimônio sabem o quão altas são as apostas em torno deles. Estão lutando por mais do que apenas a própria união. Estão lutando por todas as vidas que estão impactando no momento e que podem ser impactadas no futuro. Susie e eu nos sentimos motivados a manter nosso casamento forte e saudável, não apenas para nosso bem e para o bem de nossos filhos, mas também por causa das muitas vidas que Deus nos deu a oportunidade de impactar. Permitir que nosso casamento venha a falhar seria uma das coisas mais egoístas que poderíamos fazer.

Ter uma missão no casamento mortifica você e o leva à oração. Em Atos 1, Lucas registra as instruções finais de Jesus aos discípulos: "Receberão poder quando o Espírito Santo descer sobre vocês, e serão minhas testemunhas em Jerusalém, em toda a Judeia e Samaria, e até os confins da terra" (Atos 1:8). Isso é que é uma missão ousada! Basicamente, Jesus contou aos discípulos que, apesar de serem declarados fora da lei, desguarnecidos, péssimos atiradores e em número inferior a 150 homens, eles levariam sua mensagem através do mundo. A Grande Comissão de Jesus aos seus discípulos tinha este efeito: mortificava-os e levava-os a dobrar os joelhos em oração. Atos 1:14 nos diz: "Todos eles se reuniam sempre em oração, com as mulheres, inclusive Maria, a mãe de Jesus, e com os irmãos dele." Isso é o que uma sólida missão do Reino faz — tira seu fôlego, mortifica você e faz com que busque a Deus.

Você quer manter seu casamento na perspectiva correta? Quer manter o foco na visão abrangente do Reino de Deus e desviar-se dos pequenos detalhes de sua vontade e necessidades pessoais? Deseja ver seu cônjuge como um aliado no Reino e não como um adversário relacional? Então busque uma missão no casamento. Deem um propósito à sua união que seja tão grande, tão majestoso e tão humanamente impossível que mortifique você e seu cônjuge diante de Deus, leve-os à oração e lhes dê algo além de si mesmos para viver.

Comece a orar por seu casamento

Peça a Deus para mostrar-lhe um grupo de pessoas, uma parte do mundo ou uma área da vida pela qual você e seu cônjuge sejam ambos apaixonados e na qual poderiam trabalhar juntos. Em seguida, peça-lhe para levá-lo a uma oportunidade de ministério nessa área.

A beleza de uma missão no casamento

Não existe uma fórmula mágica para encontrar uma missão do Reino para seu casamento. Tudo de que precisamos é de dois cristãos mutuamente submissos que desejem que seu casamento seja mais do que a própria felicidade. Misture isso com sua vontade de ser usado por Deus, e você terá uma grande receita para a descoberta de uma missão para o casamento. Casais cuja união tem um propósito e um chamado maiores irão dizer-lhe que suas maiores alegrias no matrimônio estão em possuir uma orientação centrada nos outros. Considere os exemplos seguintes.

Ryan e Courtney Nowakowski. Eles amam a Jesus, estão muito envolvidos na igreja e são faixas pretas em tae-kwon-do. Eu aprendi há muito tempo a não acusar Courtney de bater como uma menina. Seu soco de "menina" pode me nocautear. Além disso, seu marido sabe aproximadamente quinze maneiras de acabar com minha vida em dois segundos ou menos, apenas com as mãos e os pés descalços. Eu sempre fico muito bem comportado quando os Nowakowski estão por perto.

Os dois possuem uma academia de tae-kwon-do, onde ajudam as pessoas de todas as idades a entrar em forma, ganhar disciplina pessoal e força interior, e aprender a respeitar a autoridade. Eles são altamente respeitados e muito amados por seus alunos.

Courtney e Ryan também são apaixonados por missões. No calor do verão, deram muito duro por uma semana ajudando a construir casas em partes incrivelmente pobres do México. Envolveram-se com afinco em nossa igreja nos esforços de socorro por ocasião do furacão Katrina. E, recentemente, quando um adolescente de nossa igreja fugiu de uma situação doméstica conturbada, adivinhe quem ele acabou chamando? Os Nowakowski. O casamento deles assumiu um componente importante que eu duvido que qualquer um deles notou.

A missão do casamento de Ryan e Courtney deu-lhes ainda mais razão para trabalhar e orar pelo casamento. Eles são quebrantados por aquilo que Deus está fazendo neles e estimulados pelo resultado do Reino que seu relacionamento tem trazido.

Alan e Tina Nagel. Alan e Tina são um dos casais mais devotos que conheço. Seu casamento de várias décadas tocou inúmeras vidas. Alan se afastou de um lucrativo negócio de família no ramo de laticínios para acompanhar a equipe do Campus Crusade for Christ. Ele e Tina trocaram o conforto e a "segurança" que o dinheiro pode trazer por uma vida baseada na fé, abraçando a obra da Crusade com sua renda. Por mais de trinta anos, os Nagel adotaram como missão de casamento o discipulado de cristãos e o compartilhamento de Cristo com os incrédulos.

A missão no casamento de Alan e Tina tem vida própria. Mencione os Nagel em certos ambientes de Austin, ou até mesmo ao redor do mundo, e as pessoas pensam imediatamente nesse casal cujo casamento está completamente submisso a Cristo. Alan e Tina têm orado, orientado, encorajado, instruído, repreendido e levado pessoas aos assuntos do Reino ao redor do mundo. Seu ministério impacta os líderes cristãos e as pessoas que esses líderes servem.

Os Nagel seriam os primeiros a dizer-lhe que seu casamento não é perfeito. Mas ele é usado para os propósitos de Cristo, ajudando os outros a enxergar o reino. Alan e Tina também lhe diriam que nunca se arrependeram de terem se afastado do potencial de enriquecimento do ramo de laticínios. O que eles têm visto e realizado juntos pelo Reino de Deus supera de longe qualquer tesouro terrestre.

Rick e Stephanie Reynolds. O casamento de Rick e Stephanie está ajudando outros casais. Rick é um conselheiro cristão que se especializou no trabalho com casais em crise. Sua tarefa exige vários longos dias, noites e até mesmo semanas de dedicação, servindo a casais cujos relacionamentos estão à beira do fracasso. Stephanie é uma parceira ativa no ministério de Rick. Juntos, eles servem aos casais que estão enfrentando desafios que podem terminar rapidamente com um casamento.

Várias vezes por ano, Rick e Stephanie passam o fim de semana com alguns outros casais em uma residência próxima a um lago fora de Austin. Eles chamam esse fim de semana de E.M.S. (*Emergency Marriage Services* – Serviços de Emergência para o Casamento) de fim de semana. A dor, a intensidade, a batalha espiritual e a exaustão emocional que esses fins de semana produzem são difíceis de compreender, mas Rick e Stephanie não mostram nenhum sinal de desistência.

A missão do matrimônio deles é ajudar a salvar outros casamentos. Eles investem o melhor de seu tempo, recursos e anos para lutar pelas famílias. O chamado de seu casamento certamente não é fácil, mas é um chamado que nunca iriam deixar. Os dois já presenciaram muitas vidas transformadas, muitos casamentos salvos e descobriram que essa é uma atividade que lhes dá muita alegria para considerarem fazer outra coisa.

John e Helen Boyd. Quando eu tinha quinze anos, participava de competições de esqui aquático e não estava indo à igreja. Meu programa de treinamento e viagens normalmente me afastava da igreja nos fins de semana. Logo pensei que, de qualquer jeito, a igreja não era mesmo um lugar legal para mim. Certa noite, meu professor da escola dominical, John Boyd, e alguns adolescentes da igreja vieram me visitar em casa. Eu tinha ido à igreja o suficiente para saber que somente os adolescentes realmente "ruins" recebiam essas visitas surpresas. Fiquei ofendido e até mesmo envergonhado por ter-me tornado um deles. Eu estava tão envergonhado, na verdade, que apaguei a luz do alpendre e fingi que não estava em casa.

No domingo seguinte, fui à igreja e confrontei o sr. Boyd. Disse a ele que eu não era um garoto mau nem precisava receber visitas. Sua resposta me desarmou. Ele simplesmente respondeu que ele e os adolescentes da igreja me amavam, sentiam saudades e queriam que eu soubesse que era bem-vindo na turma. Isso foi há trinta anos, e eu nunca mais deixei de ir à igreja.

John e Helen são um casal cristão piedoso cuja missão de casamento é servir a adolescentes. Há muito poucas vantagens em levantar-se cedo no domingo e tentar despertar o interesse de um monte de sonolentos adolescentes por coisas espirituais. Mas isso é exatamente o que os Boyd fazem há mais de 25 anos. Em alguns casos, eles realmente não têm consciência do seu impacto. Mas é evidente no meu caso. Eu sou um cristão, marido, pai, pastor e autor que não teria voltado para a igreja, reconduzido minha vida a Cristo, sentido-me chamado para o ministério ou conhecido minha esposa na igreja se não fosse pelo amor, pelas orações, pela preocupação e pelo investimento dos Boyd. Sou um dos inúmeros exemplos vivos do impacto da missão de casamento dos dois.

Ore poderosamente hoje

Falei recentemente com meus amigos Amber e Brandon Parker, no Mississippi. Eles estavam viajando de carro para Houston (sete horas só de ida) a fim de orar no hospital com uma mulher que estava lutando contra câncer terminal. A filha dessa mulher fazia parte do grupo de jovens dirigido por eles, e os dois se sentiram guiados a viajar para Houston, impor as mãos sobre a mulher e pedir a Deus para curá-la. Depois que eu desliguei, pensei novamente sobre o compromisso com Cristo de Brandon e Amber. Ali estava aquele jovem casal, que poderia ter feito tantas outras coisas com seu tempo, mas, em vez disso, escolheram dirigir quatorze horas, entre ida e volta, para passar alguns minutos intercedendo por uma mulher doente. Lembro-me de pensar: "Eu quero ser radical assim para Cristo. Quero que meu casamento tenha esse impacto para o Reino de Deus. Quero conhecer o tipo de intimidade que vem sendo usada por Deus no casamento."

Você quer criar um caminho para Deus aquecer sua intimidade espiritual? Procure maneiras para ministrarem juntos como casal. Ore por oportunidades de trabalharem muito, suarem, investirem e sacrificarem juntos em favor de outra pessoa. Peça a Deus para dar-lhe tanto um coração de servo quanto uma mentalidade centrada nos outros. Peça a Deus para tornar seu casamento uma bênção para outros. Ore por uma missão no casamento. As experiências que você compartilhará como resultado entrelaçarão suas almas juntas de uma forma que nada mais poderá fazê-lo.

Versículos para orar por sua missão no casamento

- 2Tessalonicenses 1:11-12: *Pai, por favor, faz-nos dignos da tua vocação em nosso casamento. Que por teu poder se cumpra todo bom propósito e cada ato como resultado da nossa fé. Peço isso para que o nome de nosso Senhor Jesus seja glorificado em nós, e nós nele, segundo a tua graça.*
- Colossenses 1:10-11: *Pai, por favor, capacita-nos a viver uma vida digna do teu nome e ajuda-nos a agradar-te em todos os sentidos. Ajuda-nos a dar frutos em toda boa obra, crescer no conhecimento da tua pessoa e a sermos fortalecidos segundo o teu glorioso poder, para que possamos ter perseverança e paciência no ministério que nos foi dado.*
- João 15:5,8: *Senhor, mostra-nos como permanecer em ti como casal, para que possamos dar muito fruto e glorificar o teu nome.*

Uma oração pelo casamento

Pai santo, entregamos nosso casamento a ti. Pedimos que nos dês uma visão e uma vocação que possam ir muito além de nós. Capacita-nos a amar, a servir aos outros através de nosso relacionamento conjugal. Dá-nos um coração voltado para as pessoas que precisam de ti. Mostra-nos como podemos melhor dedicar nosso tempo, nossos recursos e nossas habilidades para o teu Reino. Oramos para que tu possas receber o nosso casamento e considerá-lo totalmente teu. Usa-nos como quiseres para o teu Reino. Nós te pedimos em nome de Jesus. Amém.

APÊNDICE

UM MÊS DE ORAÇÕES POR SEU CASAMENTO

A SEGUIR ESTÃO 31 ORAÇÕES ESPECÍFICAS por seu casamento. Acredito que você concordará que cada uma delas é bíblica, específica e relevante. Faça estas orações e saiba que Deus irá respondê-las. À medida que você orá-las por seu casamento, Deus irá honrá-lo.

No início de cada dia, você encontrará um versículo seguido de uma oração desenvolvida a partir dele. Propositalmente escolhi versículos curtos e fáceis de aprender. Não se apresse com eles. Tente memorizar cada um e meditar sobre ele. Conforme você dominar os conceitos neles contidos, será capaz de orar com mais confiança e entusiasmo. Ore com vontade!

1º dia

Versículo: "'Por esta razão, o homem deixará pai e mãe e se unirá à sua mulher, e os dois se tornarão uma só carne'. Assim, eles já não são dois, mas sim uma só carne. Portanto, o que Deus uniu, ninguém o separe" (Marcos 10:7-9).

Oração: *Santo Deus Criador, nós reconhecemos teu propósito eterno para o nosso casamento. Ajuda-nos a nos unirmos inteira-*

mente um ao outro e a nos tornarmos uma só carne. Faz-nos um, ó Senhor, e une-nos para que nada possa ficar entre nós.

2º dia

Versículo: "Busquem, pois, em primeiro lugar o Reino de Deus e a sua justiça, e todas essas coisas serão acrescentadas a vocês" (Mateus 6:33).

Oração: *Pai, ajuda-nos a priorizar, como casal, o teu Reino e a tua justiça em nosso casamento. Ao fazermos isso, por favor, supre todas as nossas necessidades.*

3º dia

Versículo: "Darei a eles um só pensamento e uma só conduta, para que me temam durante toda a sua vida, para o seu próprio bem e o de seus filhos e descendentes" (Jeremias 32:39).

Oração: *Poderoso Deus, por favor, dá ao meu cônjuge e a mim singeleza, um só pensamento e uma só conduta. Dá-nos um único coração em nosso casamento. Ajuda-nos a sempre honrar-te, para nosso próprio bem e para o de nossos filhos.*

4º dia

Versículo: "Pai nosso que estás nos céus! Santificado seja o teu nome" (Mateus 6:9).

Oração: *Querido Deus, tu és santo. Por favor, concede que teu nome seja louvado e honrado por nosso relacionamento conjugal.*

5º dia

Versículo: "Venha o teu Reino; seja feita a tua vontade, assim na terra como no céu" (Mateus 6:10).

Oração: *Pai santo, oramos para que tu construas teu Reino em nosso casamento. Também oramos para que tua vontade seja realizada em nosso casamento rápida e imediatamente, assim como no céu.*

6º dia

Versículo: "Dá-nos hoje o nosso pão de cada dia" (Mateus 6:11).

Oração: *Santo Deus, tu és o Deus que supre. Pedimos-te para satisfazeres nossas necessidades de hoje e para nos ajudares a nos contentarmos com o que temos.*

7º dia

Versículo: "Perdoa as nossas dívidas, assim como perdoamos aos nossos devedores" (Mateus 6:12).

Oração: *Querido Jesus, tu morreste para nos conceder o perdão de Deus. Por favor, ajuda-nos a conceder o perdão imediato aos outros.*

8º dia

Versículo: "E não nos deixes cair em tentação, mas livra-nos do mal" (Mateus 6:13).

Oração: *Poderoso Deus, buscamos tua proteção. Mantém-nos livres da tentação e nos protege dos esquemas malignos de Satanás.*

9º dia

Versículo: "A boa reputação vale mais que grandes riquezas; desfrutar de boa estima vale mais que prata e ouro" (Provérbios 22:1).

Oração: *Pai amado, somos teu povo. Concede à nossa família uma boa reputação. Queremos honrar-te mais do que queremos ter prata, ouro ou grandes riquezas.*

10º dia

Versículo: "Portanto, como povo escolhido de Deus, santo e amado, revistam-se de profunda compaixão, bondade, humildade, mansidão e paciência" (Colossenses 3:12).

Oração: *Pai, nós somos teu povo santo. Ajuda-nos para que nosso casamento seja sempre revestido de compaixão, bondade, humildade, mansidão e paciência.*

11º dia

Versículo: "Assim, meu Deus, que teus olhos estejam abertos e os teus ouvidos atentos às orações feitas neste lugar" (2Crônicas 6:40).

Oração: *Poderoso Senhor, por favor, unge nossa casa com tua santa presença. Por favor, ouve e responde às orações que fazemos aqui. Concede-nos teu favor como teu povo santo.*

12º dia

Versículo: "É como árvore plantada à beira de águas correntes: Dá fruto no tempo certo e suas folhas não murcham. Tudo o que ele faz prospera!" (Salmos 1:3).

Oração: *Pai, estabelece nosso casamento profundamente em tua Palavra. Faz-nos ser frutíferos e prósperos para tua glória.*

13º dia

Versículo: "Nenhuma palavra torpe saia da boca de vocês, mas apenas a que for útil para edificar os outros, conforme a necessidade, para que conceda graça aos que a ouvem" (Efésios 4:29).

Oração: *Precioso Pai, guarda e orienta o modo como falamos um com o outro em nosso casamento. Ajuda-nos a nunca dizer palavras torpes ou prejudiciais um com o outro. Ensina-nos a dizer apenas palavras amorosas e edificantes.*

14º dia

Versículo: "O casamento deve ser honrado por todos; o leito conjugal, conservado puro; pois Deus julgará os imorais e os adúlteros" (Hebreus 13:4).

Oração: *Pai, ajuda-nos a honrar tua instituição do casamento. Mantém nosso casamento puro e livre do adultério e de toda imoralidade sexual.*

15º dia

Versículo: "Assim brilhe a luz de vocês diante dos homens, para que vejam as suas boas obras e glorifiquem ao Pai de vocês, que está nos céus" (Mateus 5:16).

Oração: *Senhor Deus, torna nosso casamento uma luz brilhante para ti. Permite que as boas obras de nosso casamento louvem teu maravilhoso nome.*

16º dia

Versículo: "Com isso todos saberão que vocês são meus discípulos, se vocês se amarem uns aos outros" (João 13:35).

Oração: *Poderoso Salvador, concede que o profundo amor em nosso casamento possibilite que todos saibam que nós somos teus discípulos e que temos um relacionamento que honra a Cristo.*

17º dia

Versículo: "Não se decepcionem por minha causa aqueles que esperam em ti, ó Senhor, SENHOR dos Exércitos! Não se frustrem por minha causa os que te buscam, ó Deus de Israel!" (Salmos 69:6).

Oração: *Santo Deus, que nosso casamento sempre glorifique e honre teu nome. Torna-te conhecido em nós. Oramos para que teu povo jamais tenha motivo para se decepcionar ou se frustrar por causa de qualquer coisa em nosso casamento.*

18º dia

Versículo: "Finalmente, irmãos, tudo o que for verdadeiro, tudo o que for nobre, tudo o for correto, tudo o que for puro, tudo o que for amável, tudo o que for de boa fama, se houver algo de excelente ou digno de louvor, pensem nessas coisas" (Filipenses 4:8).

Oração: *Santo Deus, santifica nossa casa. Ajuda-nos como casal a refletir e falar sobre as coisas que são puras, corretas, santas, justas e dignas de teu santo nome.*

19º dia

Versículo: "Portanto, já que vocês ressuscitaram com Cristo, procurem as coisas que são do alto, onde Cristo está sentado à direita de Deus. Mantenham o pensamento nas coisas do alto, e não nas coisas terrenas" (Colossenses 3:1,2).

Oração: *Querido Jesus, nossos olhos e corações estão voltados para ti. Por favor, dá-nos um casamento que procure as coisas eternas — as que fazem parte de teu Reino — e não as terrenas.*

20º dia

Versículo: "Ame o SENHOR, o seu Deus, de todo o seu coração, de toda a sua alma e de todas as tuas forças" (Deuteronômio 6:5).

Oração: *Senhor, tu és nosso Deus. Vamos amar-te como uma família com todo o nosso coração, alma e força.*

21º dia

Versículo: "Sabemos que Deus age em todas as coisas para o bem daqueles que o amam, dos que foram chamados de acordo com o seu propósito" (Romanos 8:28).

Oração: *Pai santo, porque nós fomos chamados por teu nome e propósito, oramos para que faças com que todas as coisas em nosso casamento — alegria e tristeza, bênção e dor, vitória e derrota — ajam em conjunto para o bem.*

22º dia

Versículo: "Quer você se volte para a direita quer para a esquerda, uma voz nas suas costas dirá a você: 'Este é o caminho; siga-o'" (Isaías 30:21).

Oração: *Pai santo, por favor, orienta nossas decisões. À medida que vamos convivendo, ajuda-nos a estar atentos e obedientes à tua voz.*

23º dia

Versículo: "Portanto, quem ouve estas minhas palavras e as pratica é como um homem prudente que construiu a sua casa sobre a rocha" (Mateus 7:24).

Oração: *Santo Deus, torna-nos sábios. Ajuda-nos a construir nosso casamento sob o fundamento inabalável de tua Palavra.*

24º dia

Versículo: "'Porque sou eu que conheço os planos que tenho para vocês', diz o SENHOR, 'planos de fazê-los prosperar e não de causar dano, planos de dar a vocês esperança e um futuro'" (Jeremias 29:11).

Oração: *Pai santo, obrigado por liderares e guiares nosso casamento. Por favor, realiza teus grandes planos para nós, dando-nos esperança e um futuro.*

25º dia

Versículo: "Assim como vocês se destacam em tudo: na fé, na palavra, no conhecimento, na dedicação completa e no amor que vocês têm por nós, destaquem-se também neste privilégio de contribuir" (2Coríntios 8:7).

Oração: *Deus Pai, concede que nosso casamento seja excelente nas coisas que importam. Ensina-nos a nos destacarmos em nossa fé, a termos um discurso que honre a Cristo, a conhecermos teus caminhos, a sermos apaixonados por ti e pelo bendito privilégio de dar aos outros.*

26º dia

Versículo: "O marido deve cumprir os seus deveres conjugais para com sua mulher, e da mesma forma a mulher para com seu marido. A mulher não tem autoridade sobre seu próprio corpo, mas sim o marido. Da mesma forma, o marido não tem autoridade sobre o seu corpo, mas sim a mulher" (1Coríntios 7:3-4).

Oração: *Senhor Deus, tua Palavra ensina que nossos corpos pertencem primeiramente a ti e depois ao outro. Ajude-nos a satisfazer o outro e honrá-lo em nosso relacionamento sexual.*

27º dia

Versículo: "Mas o fruto do Espírito é amor, alegria, paz, paciência, amabilidade, bondade, fidelidade, mansidão e domínio próprio. Contra estas coisas não há lei" (Gálatas 5:22-23).

Oração: *Pai, que o doce fruto de teu Santo Espírito — amor, alegria, paz, paciência, amabilidade, bondade, fidelidade, mansidão e domínio próprio — manifeste-se para tua glória em nosso casamento.*

28º dia

Versículo: "Pois o amor ao dinheiro é a raiz de todos os males. Algumas pessoas, por cobiçarem o dinheiro, desviaram-se da fé e se atormentaram com muitos sofrimentos" (1Timóteo 6:10).

Oração: *Senhor Deus, nós sabemos que tu és a fonte de tudo o que temos. Entendemos que a busca por dinheiro e ganho material pode matar nossa fé e destruir nosso casamento. Por favor, protege-nos do amor ao dinheiro. Ajuda-nos a mantê-lo sempre na perspectiva correta.*

29º dia

Versículo: "Se não for o Senhor o construtor da casa, será inútil trabalhar na construção. Se não é o Senhor que vigia a cidade, será inútil a sentinela montar guarda" (Salmos 127:1).

Oração: *Senhor Deus, nosso casamento pertence a ti. Por favor, sê seu principal arquiteto e construtor. Protege-o de nossos próprios pecados e vaidades. Guarda nosso casamento e proteje nossa casa.*

30º dia

Versículo: "'Quando vocês ficarem irados, não pequem'. Apaziguem a sua ira antes que o sol se ponha e não deem lugar ao Diabo" (Efésios 4:26,27).

Oração: *Amado Jesus, ensina-nos a nos irarmos de forma adequada e saudável. Ajuda-nos a não deixar que a ira um pelo outro se prolongue ou se transforme em amargura. Protege-nos dos redutos satânicos que podem se desenvolver a partir de nossa falta de perdão.*

31º dia

Versículo: "O SENHOR te abençoe e te guarde; o SENHOR faça resplandecer o seu rosto sobre ti e te conceda graça; o SENHOR volte para ti o seu rosto e te dê paz" (Números 6:24-26).

Oração: *Senhor Deus, nós humildemente pedimos tua bênção, graça, unção e proteção em nosso casamento. Dá-nos tua graça e tem misericórdia de nós, de acordo com tua Palavra. Guarda-nos e dá-nos a paz.*

NOTAS

Capítulo 1: Amados... Orem!

1. Sam Roberts, "To Be Married Means to Be Outnumbered" [Ser casado significa ser ultrapassado]. *New York Times*, 15 de outubro de 2006, http://www.nytimes.com/2006/10/15/us/15census.html?_r=1&oref=slogin.

Capítulo 2: Orações poderosas, audaciosas e difíceis por seu casamento

1. Will Davis Jr., *Pray Big*. (Grand Rapids: Revell, 2007).
2. Veja B. A. Robinson, "U.S. Divorce Rates for Various Faith Groups, Age Groups, and Geographic Areas" [Taxas de divórcio nos EUA entre variados grupos religiosos, etários e por área geográfica]. *Religioustolerance.org*, 27 de abril de 2000 http://www.religioustolerance.org/chr_dira.htm; e The Barna Group, "Born Again Christians Just As Likely to Divorce As Are Non-Christians" [Mesma probabilidade de divórcio entre cristãos convertidos e não cristãos]. 8 de setembro de 2004, http://www.barna.org/FlexPage.aspx?Page=BarnaUpdate&BarnaUpdate ID=170.
3. Veja Catholic Marriage Care Service, "Couple Prayer" [Oração para casais], março de 2007, http:// www.accord.ie/staying_married/couple_prayer; e Michael Smalley, "Do You Know the Divorce Rate of Couples Who Pray Together?" [Você sabe a taxa

de divórcio de casais que oram juntos?], *Gosmalley.com*, 26 de novembro de 2006, http://www.crashintolove.com/2006/11/26/do-you-know-the- divorce-rate-of-couples-who-pray-together.

Capítulo 5: Orando por intimidade espiritual

1. Ao longo do livro, eu uso a palavra *alma* para falar do espírito eterno dado por Deus, que habita dentro de cada ser humano. É o sopro da vida que Deus soprou nos seres humanos na criação. Embora *espírito* possa ser um termo mais preciso, eu escolhi *alma* porque ele se encaixa melhor em um contexto relacional.
2. Gostaria de poder levar o crédito pela maravilhosa frase "a assimétrica graça de Deus", mas não posso. Agradeço à minha criativa e inspiradora esposa, Susie, por sua poderosa descrição da bondade de Deus.

Capítulo 7: Como orar por seu marido

1. "Wife Who Fought Mountain Lion: I'm No Hero" [A esposa que lutou com um leão da montanha: não sou uma heroína]. *ABC News*, 8 de janeiro de 2007, http://abcnews.go.com/GMA/story?id=2829689&CMP=OTC-RSSFeeds0312.

Capítulo 8: Como orar por sua esposa

1. Andrée Seu, "Beauty at Any Price" [Beleza a qualquer preço]. *World Magazine*, 7 de maio de 2005, p. 51.

Capítulo 11: Orando pela missão de seu casamento

1. Faça essa oração de joelhos, regularmente, com seu cônjuge.